La séptima vida

Juan Manuel García Passalacqua

La séptima vida

LA EDITORIAL
UNIVERSIDAD DE PUERTO RICO

La séptima vida, Juan Manuel García Passalacqua

ISBN: 0-8477-0300-2

Portada: Yolanda Pastrana Fuentes
Revisión de texto: La EDUPR / Jesús Tomé
Tipografía: La EDUPR / Salvador Rosario

LA EDITORIAL
UNIVERSIDAD DE PUERTO RICO
PO Box 23322
San Juan, Puerto Rico 00931-3322
www.laeditorialupr.org

Contenido

Sobre él planeaba una sombra. La extraordinariamente evocado–
ra del *che*, más presente que nunca desde su muerte.

–Siete vidas como los gatos –murmuró Patrice acordándose
de la curiosa afirmación del célebre aventurero.

–En el fondo, compañero –dijo lanzando una última mirada
a la imagen que los contemplaba con su extraña sonrisa–, tú no
moriste verdaderamente en Camirí y nos lo has demostrado.
Puede que sea ahora cuando vaya a comenzar realmente la última
vida de tu Apocalipsis.

Joseph Marsant, ***La séptima muerte del Che***, París, 1976.

1
El calcinado

Julián no recordaba. A su mente, como en pantalla de cine, volvía únicamente la imagen del fuego sobre el techo del almacén, aquella noche de verano en los años cuarenta. Esa imagen se borraba entonces, y aparecía, en corte súbito, la del grupo reunido alrededor de los restos calcinados encontrados entre la ceniza aún humeante en la madrugada. No recordaba más, y ahora, a fin de siglo, en su retiro en Nueva York ante el ventanal del apartamento, trató de comenzar a reconstruir la historia.

Había que empezar por el principio. Había que empezar por el pueblo, por el lugar, por la sede del siniestro y sus causas.

Era un pueblo como tantos otros desde los tiempos de España, en esa isla que se repite que es Puerto Rico. Una estrecha carretera de asfalto, llena de hoyos y de pedregones sueltos, llegaba a la confluencia de los dos ríos, y allí, frente al menudo puente de hierro, estrecho y bajo, comenzaba la cuesta hacia la entrada de Guano. Un enorme incandescente flamboyán daba la bienvenida al pie de la cuesta en los meses de floración, o depositaba sus vainas al borde de la carretera el resto del año.

Como el amor, decía el refrán, el flamboyán empieza con flores y termina con vainas. Cómo un evento natural tan hermoso, comparado con un evento humano tan hermoso, podía ser convertido en una visión de vida fatalista era la especialidad de su gente. La pequeñez de la Isla llevaba, por razones incógnitas, a la pequeñez de la vida – pensó Julián al comenzar a recordar.

Detrás del flamboyán, sin perímetro definido, un par de largos palos servían para amarrar los caballos y las yeguas de los que venían de la altura, y hacían alto antes de entrar al pueblo. En la tienda de don Sancho los transeúntes se detenían a tomarse un palo de ron, a secarse el sudor y sacudirse el polvo del camino y a ajustarse la camisa blanca y almidonada dentro del grueso pantalón amarrado con un cordel. Algunos, los más meticulosos, bajaban hasta el río para lavarse los pies descalzos. Entonces, y únicamente entonces, subían la cuesta a pie hacia la iglesia. Era una costumbre centenaria, la de bajar al pueblo los domingos para ir a misa. Era, de hecho, para lo único que había servido el casco del pueblo por muchos años.

La cuesta subía y doblaba a la misma vez, y una vez logrado el primer balance, se asomaba el transeúnte a la entrada del centro del pueblo. La iglesia, en efecto, se erguía sobre el montecito a mano derecha, y monopolizaba la vista y la atención del recién llegado. La plaza, frente y bajo la iglesia, rodeándola por tres de sus lados, era meramente un empedrado lleno de árboles de sombra, tan necesaria en aquel valle candente y caluroso. Al otro lado de la cale de barro (aún no había llegado el negro bitumul hasta allá arriba) se erguía, si así puede decirse, una Alcaldía de tres pisos, con una pequeña torre que adornaba un reloj con campana que anunciaba las horas con los correspondientes números de badajazos. Esos domingos, a las diez en punto, tan pronto había sonado el último toque de la hora, se desencadenaba con furia lujuriosa el campanero de la iglesia en una orgía de ritmos retumbantes que cundían por tierras y montes, llamando a la misa mayor.

Bajaban entonces de sus mansiones los poderosos del pueblo, y se confundían con las masas descalzas, por ese momento solo, en camino hacia las entradas de la iglesia.

Había, alrededor de la plaza, cuatro casonas importantes. Al lado de la iglesia vivían los Bidó, judíos sefardíes cristianizados, que eran desde tiempo ha los financieros, los prestamistas del pueblo. Junto a esa casa, siendo las únicas dos al lado de la Alcaldía, se erguía la mansión de canto y piedra del señor alcalde, don Casimiro Rodríguez, español cristiano de pura cepa, terrateniente y ganadero, esclavista, pundonoroso señor de bastón con mango de oro, dueño de vidas, haciendas y votos.

La casa de don Casimiro era un verdadero primor. Se entraba por una escalerilla en la calle lateral hasta el segundo piso, el piso de la vivienda. La escalera estaba adornada con losetas traídas desde las Islas Canarias, con adornos pintados que decían de la vieja Madre España. Al tope de la escalera, un desván estaba presidido por una enorme cotorra boricua de vistosísimos colores, que cantaba y hablaba sin cesar todo el día. Del desván se pasaba a un balcón que rodeaba todo un patio interior con una fuente cantarina. A la derecha, la sala y el comedor, que daban a la plaza. De frente, las habitaciones de los señores. Y a la izquierda, las cocinas y los cuartos de los sirvientes. Los muebles, los cortinajes, los cuadros, todo era traído de Europa. No había nada allí de la pedestre caoba nativa, y si no fuese por la cotorra, nadie hubiese sabido que se vivía en Puerto Rico.

Al lado norte y sur de la plaza, en el centro de las calles laterales, estaban las casonas menos orondas pero no menos hermosas, de los hermanos Berlinger, corsos, decíase que contrabandistas en el puerto cercano de Ponce, que con los judíos y el español, constituían la realeza, si así puede decirse, del culto pueblo de Guano.

Los señores Belinger habían llegado a Guano huyendo de la persecución contra los bonapartistas en Francia, luego de la caída del emperador. Eran tres hermanos: uno el cura, el otro médico y el tercero el farmacéutico del pueblo. El cura vivía con unas monjas que le servían en una casita detrás de la iglesia. Luis vivía en la casa del lado norte, y allí atendía a sus pacientes pudientes por una puerta, y a los jíbaros por otra y a otras horas. Juan vivía en los altos de la casona del lado sur, en cuyos bajos estaba ubicada la farmacia La Milagrosa, de su propiedad, luego de regresar de sus estudios en Santo Domingo.

Julián creció en esta casa distinta, la casa de su familia. Se
entraba a ella por un callejón al lado de la farmacia, embaldosado
elegantemente y bordeado de hermosos helechos y flores silvestres, y
se pasaba junto a la maciza puerta (siempre cerrada) de la oficina de
su padre, don Juan Berlinger.

De allí, doblando a la derecha, se subía al segundo piso, el de la
vivienda, por una amplísima escalera de ladrillos. Ninguna familia
que se preciase de ser importante o de tener medios, vivía en Guano
en una casa denominada con desdén como "terrera". Eso se le dejaba
a los menos afortunados. Una amplísima puerta daba a la sala, presi-
dida por una enorme lámpara de cristales que cantaban al viento y
por un lustrado piano de cola, en el centro mismo de la pared que
daba al balcón de celosías. A los lados de la sala, las habitaciones de
los señores. De allí, a un pequeño comedor presidido por un enorme
cuadro de la flagelación de Cristo, y detrás de ella, la cocina con un
macizo fogón de mármol. Más allá, la alacena de los comestibles, y al
final de un largo pasillo, el baño y el inodoro. Se preciaban los Berlinger
de que su casa, a pesar de ser de madera, era mucho más espaciosa y
cómoda que la "de cal y canto" de los Rodríguez. Y de que no era una
casa española, sino puertorriqueña.

Luis, por su parte, se había hecho médico en los Estados Unidos
y se había casado con Jacqueline McCarthy, una norteamericana
irlandesa y católica. Su casa, al otro lado de la plaza, reflejaba lo que
su hermano llamaba con desdén "su americanismo". Era de cemento
armado, decía con orgullo Doña Jacqueline, la única del pueblo en
esos tiempos. Tenía vitrales de Tiffany traídos de Nueva York, en los
ventanales de la sala. Y estaba decorada con artefactos de *art deco*
como figurines, brocados, y lámparas que a Julián le parecían mons-
truos llenos de esquinas y puntas de colores raros. La construcción
no tenía estilo propio, ni casa de cal y canto como la del Alcalde, ni
casa de madera como la de Juan, sino una especie de sarcófago de
cemento, larga, rectangular, distinta a todo lo que se había visto por
cientos de años en el valle de Guano.

Los puertorriqueños, es decir, las gentes nacidas en la isla y habitantes de Guano, o vivían alrededor de la plaza. Ninguno de ellos había logrado, en los años de la infancia de Julián, penetrar la estrata oligárquica de canarios, sefardíes y corsos (americanizados o borinqueñizados) que dominaba la vida, la economía, y el espacio vital de pueblo.

Algunas "familias decentes" vivían en las calles aledañas, detrás del cuadrado de las calles de la plaza. Otras, menos importantes, se regaban en casuchas pequeñas, de madera y zinc, en los barrios que arrepechaban monte arriba, alrededor del centro del pueblo. Y los miserables, los negros, vivían en pestilentes arrabales construidos en las pendientes del cerro del pueblo, en la "bajura" que se precipitaba hacia las márgenes del río, y que por ser inhóspitas cuestas, no eran propiedad de nadie más.

Los domingos, al reclamo del hermano mayor hecho por el campanero, los dos hermanos corsos y sus consortes salían muy puntualmente y al unísono de sus puertas principales, caminando lenta y honorablemente entre los árboles de la plaza, y por puertas contrapuestas entraban al santo lugar y ocupaban el primer banco, el primerísimo banco de la derecha, en la nave de la iglesia. Sus competidores, el Alcalde y el prestamista, también con sus familias, se sentaban en el primer banco de la izquierda.

Los saludos protocolarios con un asentimiento de cabeza y una sonrisa hipócrita escondían la competencia y el odio ancestral que dividía en dos la pequeña oligarquía de este pueblo maldito. Las campanillas de los acólitos obligaban a olvidar las rencillas y llamaban a la entrada del padre don Adrián Belinger, ataviado con sus mejores telas sacramentales, al comienzo de la misa mayor.

En los bancos traseros, en abigarrada multitud, se sentaban los hombres y mujeres de los montes, y los negros de los barrios aledaños al casco del pueblo. Y entre los pequeños oligarcas y los bancos de atrás (los bancos de "la morralla"), iba ingresando a la iglesia una clase media de comerciantes, agricultores y artesanos (la "gente de segunda"), que servían de frontera humana entre los que mandaban y los que únicamente podían obedecer. Era únicamente los domingos en la misa (y una vez al año en la plaza, en la fiesta de la Candelaria) cuando esos tres sectores de la población se encontraban en un mismo recinto con un destino.

Al terminar la misa, mientras los señorones y señoronas del pueblo, rodeados de sus hijos e hijas, intercambiaban saludos bajo sombrillas y parasoles, los hombres y mujeres descalzos, con miradas hoscas y tristísimas, bajaban la larga escalinata hacia la plaza, y en silencio apenado se dirigían, camino abajo, hacia la salida del pueblo, bajo el frondoso flamboyán de la cuesta del río. Allí, en el cafetín de don Sancho, era donde por vez primera se atrevían a pedir con voces estentóreas sus palos de ron, hacían sus compras de la semana, y por vez primera, solo entre ellos solos, reían de sus cuentos de vida y de aparecidos. Ya entrada la tarde montaban y desaparecían de nuevo hacia la espesura, hacia sus casas de agregados, hacia las fincas de sus dueños, o hacia el monte de la supervivencia y la independencia de una tala que permitiese comer y sobrevivir, solos.

Julián Berlinger tenía apenas unos diez años cuando había observado el ritual dominical de su pueblo de Guano. Y había sido precisamente la noche de un domingo en que había sido despertado por un gemir de sirenas ululantes y por un aterrorizante destello rojo en las paredes de su cuarto, en la esquina norte de la casona. Apenas despierto, zafó el mosquitero de sus postes y se lanzó hacia la ventana, abierta siempre a causa del calor húmedo de las noches de guano. Frente a él, ardía en un infierno de amarillos, anaranjados y rojos, el Almacén de don Casimiro Rodríguez, enclavado al pie de la iglesia, en el perímetro de la plaza del pueblo. Con soberbia sin fin, don Casimiro había construido el almacén en propiedad pública, sin permiso pero sin oposición de nadie, y desde allí atendía con su hijo los asuntos comerciales de la familia. Esa noche, el almacén de los poderosos ardía velozmente.

Su madre sacó a Julián de la ventana tan pronto se dio cuenta de los hechos. No parecía haber peligro de que el incendio cruzase la calle, y ya estaban frente al almacén los rústicos carros de bomberos,

con sus largas mangueras siendo desenrolladas por peones aceleradamente reclutados. Pero Doña Ana no deseaba que el calor del
siniestro, que ya llegaba hasta la casona, le fuese a causar un resfriado
al delfín de los Berlinger. Y mucho menos que una de las chispas que
poblaban el aire en grandes nubarrones negros y rojizos, fuese a
encenderle su cota de dormir. La previsión de la madre obligó al niño
a retirarse de la ventana, pero sentado en el sillón de la sala, oyendo
ahora el griterío de la multitud que a estas horas de la madrugada
convergía en la esquina de la entrada del pueblo, esperó ansioso que
le permitiesen bajar hacia la calle, cosa que no ocurrió hasta que el
fuego fue extinguido y hasta que se hizo de día.

Los restos de un incendio son un cuadro de negros y grises.
Hierros retorcidos, maderas a medio quemar, montes de ceniza por
doquier, cosas y objetos inidentificables chamusqueados, volcados,
dilatados, esparcidos. Don Alejandro Rodríguez, hijo del dueño del
pueblo, en mangas de camisa manchadas de tizne y de sudor, caminaba lentamente, esparciendo con sus botas lo que quedaba de sus oficinas, buscando, mirando, con mirada sorprendentemente fría y semblante sorprendentemente tranquilo. Ya la gente había regresado a
sus casas cuando Julián obtuvo permiso para "ir a ver". Y lo que vio,
era lo que había motivado este recuerdo que volvía en borbotones,
cincuenta años después.

Un pequeñísimo grupo de gentes observaba al quemado, una
mera masa negra, inmovilizada en un rictus de desesperación y
muerte, con las manos hacia el cielo, los pies encogidos, y un abierto
grito en la boca que era ahora meramente un hoyo negro dentro de
una calavera tiznada, irreconocible. Allí estaban don Alejandro Rodríguez y su mujer Viviana, don Juan Berlinger, manoseando su reloj de
bolsillo nerviosamente, don Tomás Bidó, y una extraña mujer que
Julián nunca había visto.

Nadie hablaba, pero la mujer, vestida con sencillez pero con
limpieza y pulcritud, era la única que sollozaba. No era una de ellos
esta mujer. No sería de la morralla del pueblo, quizás de la gente de
segunda –pensó Julián– o quizás aún, una forastera, una mujer de la
capital, de San Juan.

Julián se preguntó si sería aquella Violeta, la hija de don Casimiro. Se decía en el pueblo (cuentos de sirvientas, alegaba su madre) que, hacía varios años, Violeta, la luz de los ojos de don Casimiro, se había fugado a caballo del pueblo con un tal Miguel García, estudiante venido de San Juan a las fiestas de La Candelaria. El odio de don Casimiro, repetían las malas lenguas, se debía no necesariamente a la huída, sino al hecho fehaciente de que el culpable era, además de advenedizo, mulato. Las fiestas eran un ritual de motivos tan paganos como religiosos, que celebraban la llegada de la primavera en los países de Europa, pero que aquí en los trópicos no hacían sentido como no fuese el de una costumbre traída por los inmigrados y transplantada, como tantas otras, sin contexto alguno, a esta isla del Caribe. Para desgracia de don Casimiro, ese día se abigarraban a celebrar todas las clases sociales del pueblo.

Se decía, pensó Julián al ver el silente grupo alrededor del cuerpo calcinado, que a la Violeta el joven estudiante "le había hecho el daño" en la mismísima escalera de la casa del Alcalde luego de una noche de juerga en la plaza del pueblo. Julián no sabía en qué consistía el daño mentado, pero parecía ser una cosa muy seria, si se evaluaban los guiños y las risotadas de las sirvientas, que eran en efecto, la fuente de tan sonado asunto.

Las tres mujeres, la enorme negra Chiqui, cocinera, o Elena la fregona, o Úrsula el ama de llaves, parecían gozar con el cuento que comentaban con gran frecuencia. La Candelaria, la fiesta, había traído a los poderosos del pueblo la mezcla de su raza, y al unísono, las tres se lo gozaban cada vez que podían. Julián, sentado en el frío suelo de la cocina, las había oído una y otra vez cebarse en la "desgracia" de don Casimiro, como si fuese el chisme la única venganza de unas gentes que nada podían contra el poder. Parado, silente y erecto al lado de don Juan, Julián no se atrevió a preguntar nada la noche del incendio.

Ahora, sin embargo, cincuenta años después, al recordar, Julián sabía más de lo que creía aquella madrugada del incendio. Si era Violeta la mujer sollozante, podía ser Miguel el cadáver retorcido. Y

podía ser una venganza de don Casimiro haber atraído hasta Guano
a los jóvenes, con el siniestro propósito de convertir a su hija pródiga
en virtuosa viuda. Si ello le hubiese costado el incendio y la pérdida
de su almacén, hubiese sido un precio mínimo para don Casimiro
lograr su venganza. Pero quizás no había sido así la historia.

Los vericuetos de la vida y la entraña escondida del pueblo de
Puerto Rico habían producido aquella madrugada de 1948 un suceso
sorprendente, más terrible que una venganza de un padre ofendido
por el amor de su hija y un extraño. No había sido, Julián lo sabía
ahora, una cuestión de flores y vainas.

Ahora, medio siglo después, la historia de su país y su pueblo
había alcanzado a Julián en Nueva York. Había leído, y hacía meses,
en un periódico de la mañana, que días antes un avión de la Marina
de Guerra de los Estados Unidos había matado a un civil puertorriqueño, David Sanes, en un ejercicio militar de bombardeo con bala
viva en la Isla Nena, Vieques. El pueblo entero de Puerto Rico se había
sacudido del letargo de un siglo, y su condena a los militares norteamericanos era unánime. Aquella noche, en un sueño como tantas
otras veces, había vuelto a su espíritu la visión del calcinado de Guano.
Aquella noche, por vez primera, escuchó su voz, clara y estentórea.
Su patria, exiliada de su alma por tantos años, le llamó con la voz de
los muertos.

Julián había decidido regresar a Puerto Rico y dedicarse a desentrañar el misterio de su infancia. Había visitado la casona ancestral
de su familia, había conocido a la gente del muerto, había vivido
unos meses de grandes acontecimientos, y esta noche –a su regreso a
Nueva York desde Puerto Rico– sentado frente a su máquina de
escribir antigua, ante el enorme ventanal con una hermosa vista de
Central Park, se hacía preguntas, rebuscaba recuerdos, mientras veía
el delirante espectáculo de un brillante amanecer anaranjado sobre
un fondo azul marino, que desaparecía. Se dedicaría, en fin, a narrar
la verdad sobre la muerte del calcinado de Guano y lo que es más, la
novela de su resurrección.

Julián comenzó a escribir la historia de *La séptima vida.*

2
El manuscrito

El día que regresé a Puerto Rico, me dirigí de inmediato a mi pueblo de Guano. Subí la cuesta del flamboyán con mano algo temblorosa en el guía de mi auto. A mi izquierda, a unos pocos pasos, a la mera entrada del pueblo, la casa de mis padres.

Estacioné el auto, me bajé, caminé hasta el enorme portón, y me encontré con una visión terrible: el callejón hacia la escalera principal se encontraba inundado por la maleza, las baldosas se habían salido de sus cauces, y un sinnúmero de alimañas pululaban libremente entre ellas. Tuve que contener un ahogo, respiré, y con lágrimas en los ojos, empujé el portón. Yo sabía muy bien adónde iba, y caminé hacia la oficina.

Debajo de la escalera principal, en un recoveco protegido por una pesada puerta de caoba que aún resistía al tiempo, había estado el refugio de papá, donde se encerraba ante un antiguo escritorio, a sumar y restar sus cuentas, a ordenar sus papeles, a satisfacer, leyendo bajo un quinqué al principio y una tenue lámpara de luz eléctrica después, los legajos que había conseguido coleccionar, y que guardaba con enorme cariño en una sólida caja fuerte, escondida detrás de una pared de mampostería que parecía impenetrable para todos menos para él. Y para mí, que un día de suerte, lo había espiado cuando la abría.

A mi regreso a Guano, yo no sabía si encontraría algo allí. Pero
con ánimo decido, saltando entre veloces ratas que corrían sobre un
piso húmedo y lleno de materia muerta, busqué las esquinas de los
ladrillos que sabía cederían, y cedieron. Allí estaba, sólida e imper-
turbable, la caja Mosler. Y en mi memoria vivía aún la combinación
que había visto utilizar a mi padre. El tiempo no daba muestras de
adelantar. Mi mano, algo tembluzca, abrió la puerta de la caja fuerte.
Y allí estaban, uno encima de otro, cuidadosamente cubiertos de papel
de estraza, atados con cuerdas de henequén que habían resistido a
los años, los legajos amarillentos encuadernados en cuero sobre la
rebelión de Guano.

No quise detenerme más en la ruina. Eché los pesados libracos
de cuero en la mochila que para ello había llevado, la cerré cuidadosamente, volví sobre mis pasos haciendo sonar las baldosas abiertas
del pasillo, y, sin mirar atrás, salí por el gran portón. El auto me llevó
a San Juan más rápido de lo esperado, y esa noche, solo y ansioso en
el cuarto de mi hotel, abrí la cubierta de cuero y comencé a leer una
letra hermosa y diminuta, escrita con pluma de ave. El primer documento era una viejísima carta. Decía:

Me levanté a escribir porque soñé con el Ángel de la Muerte,
que vino, me miró, y me invitó a ir en sus alas al futuro. Se me antoja
que esta es la hora de decir la verdad sobre la rebelión. Los hechos en
Guano y en San Germán no pueden quedar inéditos. Y mucho menos
debe olvidarse el papel que me tocó jugar a mí.

La luz del candil corretea por las paredes del convento, el arpa
descansa intocada y la sombra se arremolina a mi alrededor. Me he
sentado, con dificultad, en el taburete ante la mesa, y mi mano temblorosa raya el pergamino con estas letras finales. Aún nadie sabe por
qué me obligaron a refugiarme aquí, y trataré de revelarlo ahora. Lo
que sé es que no me quedan muchas horas, y debo confesarme. Escribo
y dejo estas palabras, para que las lean y se enorgullezcan los que
nazcan en mi adorado Puerto Rico.

A mi querida hija Rosa, monja de clausura en el convento del
Carmen de San Juan, le escribo esta mi despedida, para que a mi
muerte, se la comunique a los puertorriqueños y al Rey.

Hace ocho años, el 30 de octubre de 1735, después de la muerte de tu hermano cuyo corazón se rompió, entré en el cenobio de los predicadores y nunca he vuelto salir a la calle. He vivido en la más completa soledad y sin el menor abrigo. Aun aquellos con quienes había tenido trato y comunicación, por respeto o miedo a las autoridades, se excusan de visitarme.

Solo me han sido fieles mi contador Antonio París Negro, el dominico fray Andrés Bravo, y la priora de las monjas carmelitas del convento al pie de la cuesta frente a Catedral, sor Mariana de San José, que han endulzado mis últimas horas de estos días con pequeñas atenciones.

Mi desdicha es mayor con Pedro Vicente de la Torre, que había llegado a San Juan de Cádiz en 1724 con sólo quince años, a quien acogí en mi casa y lo puse a vender; hoy es el más famoso mercader de esta ciudad, con casa, esclavos, y muchas alhajas de oro y plata. Este entró en mi casa con la pobre ropa que traía encima. No se le conocieron otras inteligencias que el manejo de mis caudales y confianzas, y ahora es todo ingratitud, porque se ha casado con la hija de uno de mis enemigos peninsulares. Me dicen, inclusive, que pronto será nombrado por la Inquisición de Cartagena notario y familiar del Santo Oficio. Pero no es como yo, tiene la piel blanca, y yo soy mulato. Ésa es la razón.

Me han abandonado también los que mantuve como criados, tenderos, o administradores de tierras y mar. Y se hallan al presente todos acomodados, y muchos en mejor fortuna que la mía, pues gozan de lo que tienen sin gravámenes. Entrando pobres y saliendo ricos, se han olvidado todos de este servidor.

Refugiado en el convento de predicadores de Puerto Rico, encerrado en mi celda con grandes calores, que alivio con paños mojados, y con una grande hinchazón y llagas en mis piernas, y mantenido con una pitanza caritativa de mis hermanos puertorriqueños, he pasado estos últimos ocho años de mi vida. Que ya sé, desde la hora de las brujas a las cuatro de la madrugada de hoy, ha de terminar tan pronto se apague el cirio que ilumina, tenue y vacilante, mi mano en este escrito.

He servido más de cuarenta años con cuanto caudal he adquirido y con mi persona en estos mares americanos, sin aspirar a otro fin que manifestar mi propensión al servicio de los míos. Y ahora me hallo atropellado en la honra y caudal por un gobernador contraventor de las leyes, sin otra causa y delito criminal y civil que la pasión, codicia y envidia de los que me persiguen, a nombre de la Corona. Y yo padeciendo en una celda de refugio más que prisión, por salvar mi vida de sus bien conocidas amenazas. Esta noche, ellos creen haber triunfado, pero no será así.

Ellos han extraído, al real haber, todos mis pobres bienes sin reservar los de conversión espiritual y obras pías por mis compatriotas puertorriqueños, que son de todos conocidas. Ni siquiera he podido allegarme los siete mil pesos que había depositado en las cajas reales de Santo Domingo, que se me han negado en este refugio sin consuelo. Estoy, como se me responde, refugiado por mis propias cavilaciones, en las que me pregunto qué he hecho para merecer semejante trato.

Los únicos que me ayudan son los buenos frailes dominicos, que, además de darme cobija en sagrado en el convento de Santo Tomás, me tramitan mis cartas al Rey Felipe V y a su Secretario de las Indias. He venido al convento, además, porque entre los frailes dominicos y los franciscanos portugueses se habla mucho, y es en los conventos donde frailes y soldados discuten el exitoso movimiento separatista de Portugal. La Iglesia no le teme al gobernador o al rey. Solamente me ha contestado el Consejo de Indias con un acuse de recibo tan frío, que no sé si aún me consideran un caballero de la Real Efigie o ahora un subversivo a la Corona. Te dejo esta historia para que tú decidas cuál de las dos cosas he sido, o si las dos a la vez, en esta Isla.

Soy natural de esta ciudad de San Juan, nacido en 1674.

En esos años, todas las islas vecinas se estaban poblando de enemigos de la Corona. En nuestro país había solo tres poblados. Los de la banda allá no hacían mucho por defendernos. San Juan, ciudad murada, no tenía cómo abastecerse de alimentos y no se comunicaba con el resto del país. San Germán, Coamo y Arecibo vivían bajo el acoso de ataques de todas clases a nuestras costas.

Nací bajo un doble signo. El primero, dictado por don Gabriel de Villalobos, marqués de Varinas, que en esos años planteó a la Corona sus vaticinios de pérdida de las Indias, y el otro, la Ordenanza de 1674 en que la Corona acordó emitir patentes de corso para combatir a sus enemigos en las Indias. Esa fue mi predestinación, ordenada por la Divina Providencia.

Mi madre fue Graciana Enríquez, de color grifo, esclava de doña Leonor Enríquez, que vivía en la calle de la Iglesia, y de quien tomó su apellido, y mis abuelos, un blanco desconocido y una negra de Angola. Nadie quiso decir quién era mi padre, el que callé por mi modestia y su estado, pero que hoy puedo revelar en mi lecho de muerte, que perteneció al alto clero de la isla de San Juan Bautista de Puerto Rico, fue el canónigo don Juan de Rivafrecha, y quien me legó, muy a la secreta, mi biblioteca de libros de latín.

Yo era el menor de cuatro hermanos que vivíamos en la calle de la Carnicería. Éramos mulatos libres, los que hemos fundado el país, y muy temprano en mi vida se nos enseñó el arte de escribir. En aquellos años, los mulatos teníamos que aprender un oficio, y me hice zapatero a los diez años. También aprendí a curtir cueros, y ello me llevó a la ocupación del menudeo, vendiendo en una tienda que tenía en mi casa, adquirida con mi trabajo de zapatero.

Cuando cumplí trece años, todo lo que escuchaba eran historias de ataques piratas en nuestras aguas y del desespero de mis compatriotas. Los soldados de la Corona estaban todos famélicos y desnudos, y nadie nos defendía. Los recién llegados de la banda allá no eran leales, y se hablaba de que se negarían a tomar las armas para defender la Isla. En esos días, me llegó un libro del cronista Fuentes de Guzmán de Guatemala, que decía de su país, Guatemala es mi patria y el Rey es mi señor. Así me sentí yo desde tan temprano sobre la mía. Aquí en San Juan, dos gobernadores peninsulares habían sido atacados por naturales de la Isla, y se hablaba, muy quedo, de una rebelión armada.

Vistas esas realidades, a muy temprana edad, decidí yo convertir mi vida en ser el defensor de todos los puertorriqueños que éramos entonces unos pocos miles abandonados, y de esta Isla que se llama y es mi patria, Puerto Rico.

Cuando tenía veinticinco años, don Fernando de Araujo y Rivera, Decano de los Oidores de la Real Audiencia Española, dejó saber a la Corona que los gobernadores de Puerto Rico, Caracas y Cuba mantenían sin salida en sus islas a los vecinos que querían denunciar la situación de abandono a la Audiencia de Santo Domingo. Cuando me fui haciendo hombre, me di cuenta entonces de que el poder en nuestras islas no estaba adentro, sino que residía en la capacidad de surcar a voluntad, en Barlovento y Sotavento, este nuestro Mar de las Antillas.

Decidí en ese momento, adoptar el oficio de mercader, solicitando el fomento de los corsos por orden de Su Majestad, y hacer hombre de negocios. Adquirí y luego vendí algunas varas de tafetán dobles y sencillas, cintas negras y otras menudencias de poca importancia, habidas en la flota de Nueva España, que tocó en el puerto de La Aguada de esta Isla. Con ello, compré mi primer barco. Además, por ser hombre libre, tenía la obligación de pertenecer a las milicias urbanas de pardo de San Juan, deber que cumplí bajo el mando del capitán Francisco Martín.

A los treinta años, en 1704, ya era yo un armador independiente, como decían mis detractores, de nación mulato. De nación, sí, puertorriqueño y mulato. Y a mucha honra.

En 1700, estalló la Guerra de la Sucesión que llevó a la sublevación de los países aragoneses contra la Corona, y se complicó con la intervención de los ingleses, franceses y holandeses en el Mar de las Antillas. Pero fue mejor para todos porque entre 1700 y 1713 no hubo situado de México, y en una sola ocasión la expedición de los galeones se arriesgó a cruzar el Atlántico; y entonces aprendimos los puertorriqueños a responder a la infamia de que sin situado, no éramos gente. Y fuimos.

Durante diecisiete años no recaló en San Juan un barco de registro. Yo escogí la alternativa, para mantener viva a mi querida Isla y a los puertorriqueños, bajo la apariencia de ser un ventero, de esconder en mis balandras fardos de ropa, alimentos, vinos y cacao, confieso que de contrabando y fuera de registro. Lo hice por necesarios, siendo en esta ciudad el único desayuno generalmente y de los pobres el sustento, por los pocos bastimentos de carne de esta Isla, y los cuales permitieron, gracias a tu padre, que sobreviviera Puerto Rico.

Así lo reconoció el Rey en su Junta de Guerra de las Indias en 1708, que yo había perdido seis embarcaciones armadas peleando con los enemigos de Curazao y Jamaica, y que a pesar de ello perseveré con dos embarcaciones más para el resguardo de estas costas, por el bien común de los naturales de esta Isla.

Escuché entonces relatos de ataques extranjeros a las villas costeras de Loíza y Guayanilla y a la villa de Arecibo en nuestra costa norte, y de la heroica defensa del Capitán don Antonio de los Reyes Correa. Pero lo que me llamó la atención fue que habían sido las milicias de los naturales de la isla, y no los soldados de la Corona, los que habían logrado rechazar la invasión. Por ello, recibió don Antonio la medalla de la Real Efigie, a la que aspiré por las mismas razones desde el día en que supe de su heroísmo, y que logré diez años después.

Nosotros, por nuestra parte, teníamos la misma dedicación sin límite a nuestra isla, y la Corona nos había encomendado proteger su monopolio mercantil, pero íbamos mucho más allá. Nosotros protegíamos a nuestros compatriotas. Así conseguí entonces, cuando sin mí no sobrevivían, la anuencia de una familia de tan grande alcurnia y pureza de sangre como la de Andrea Calderón de la Barca, que luego serían mis acérrimos enemigos.

El gobernador colonial que fuera nos dejaba hacer, llamándonos indianos, isleños, naturales, vecinos, todo menos puertorriqueños, pero siempre y cuando le dejásemos parte del botín. Líbreme la divina Providencia del pecado de falta de humildad, pero debo decirte, Rosa, que el líder de todos los puertorriqueños era, clandestinamente, a mucho orgullo, tu padre.

Quizás fue culpa de la *hybris*, pero tuve la pretensión de ser el primer puertorriqueño en exigir que se me nombrase como paisano en el cargo de capitán y sargento mayor de una de las compañías de infantería del presidio de España en Puerto Rico. Pero alguien me dejó saber, muy quedo, que yo no era blanco. El Consejo de Guerra de Indias me nombró, en cambio, capitán de Mar y Tierra y armador de corso, el primer vecino y natural de la Isla de Puerto Rico designado para despoblar todas las islas inútiles y enemigas, con mis propios armamentos de guerra.

Recibí el nombramiento del 11 de julio de 1710. Pero la Corona no era ingenua. Ordenó, sin embargo, que la artillería y armas de las presas que yo hiciese, se aplicasen al presidio, en razón de pertenecerle a Su Majestad, dándole cuenta detallada de todo lo que fuere sucediendo en esa materia. Debí darme cuenta entonces, y confieso que no lo hice, que me usaban pero que la Corona no confiaba realmente en mí, quizás con razón.

Un año después, se puso a prueba la lealtad de mi alma.

Mientras la corona estaba inmersa en la Guerra de Sucesión, me llegaron relatos de marinos en mis barcos de que se repartían por las islas inglesas y en la Nueva Inglaterra tratados de gobierno de un tal John Locke, que abogaba abiertamente por el derecho a la rebelión. Muy pronto tuvieron efecto en la Isla.

Dejé de leer. Mucho había oído en mi niñez, de la rebelión de Guano contra la corona de España. No había sabido de la figura que ahora saltaba de las hojas que habían sido tan bien guardadas por mi padre. Pero tenía, antes de seguir los misterios de siglos, que atender a los misterios de éste. Guardé el manuscrito.

3
Maestro y discípulo

Era una ametralladora. Julián nunca había visto una antes.

Aquel día de 1948 se enfrentó a sus ojos el horrible aparato negro, reposando ominosa pero tranquilamente en la cadera del policía, agarrada fuertemente en su brazo izquierdo. El hombre era bajito, trigueño, enfundado en un uniforme azul de lana obviamente calurosa, con botas negras y brilladas. Firme y erecto debajo de su gorra con la temida insignia, el policía guardaba el espacio entreabierto en el nuevo portón alambrado en la entrada lateral de la Universidad de Puerto Rico.

Esa mañana, más temprano que de costumbre, su tío lo había tomado de la mano y le había indicado el niño dulcemente: "Hoy no hay clases, pero quiero que vengas conmigo a la Universidad. Hay algo que debes ver".

Unos días antes del incendio en Guano, Julián había sido enviado a la casa de sus tíos en Río Piedras, como era ya tradición a sus cortos años. Sus padres respetaban mucho al pariente profesor, y cada vez que podían, hacían que el niño pasase unos días con él, para ir dándole interés por las tareas del intelecto. Sin hijos, don Manolo y su mujer recibían al ahijado como una bendición, y le hacían pasar grandes ratos.

La noticia de que no había clases era buena, de manera que Julián no se preocupó mucho por lo que hubiese que hacer con don

Manolo, pues lo importante es que estaría más tiempo con él. Se había acostumbrado en sus cortos años a acompañar a su tío, el profesor, hasta su oficina y a veces a su salón de clases, donde se entretenía dibujando en la pizarra trasera mientras él dictaba su cátedra. Bajaban juntos, de la mano, la cuesta de la calle, doblaban la esquina, y atravesando la vía del tren, entraban al campus universitario por la vereda lateral de árboles de guanábana. Más de una vez se habían detenido a recoger una de las frutas recién caídas en el piso para llevarlas a casa y pedirle a su tía que hiciese el delicioso refresco.

Otras veces, de regreso en la tarde, se habían sentado bajo la acogedora sombra de esos mismos árboles, sobrino y tío, maestro y discípulo, hombre y niño, a leer. De su vapuleado cartapacio, el viejo sacaría unos papeles mecanografiados, y le pediría opinión al niño sobre lo que procedía a leerle en voz alta. Eran cuentos, cuentos de la gente pobre del país, cuentos sobre los campesinos, sobre sus desgracias, sus amores, su patriotismo. El niño no entendía mucho algunos de los complejos vericuetos por los que atravesaban las vidas de estos héroes que residían en los amarillentos papeles de su tío, pero sentía cuán importante era que escuchase, y hasta donde podía, comentara lo que sí entendía. Así comenzó a conocer a su país, a su gente.

Ese día, sin embargo, notó la mano del viejo tensa y fría. Y el asombro creció cuando, al voltear la esquina, encontró su vista más allá de la vía que, en medio del camino de árboles de guanábana se había alzado, aparentemente de la noche a la mañana, una verja de alambre eslabonado. La cosa no estaba como para preguntar, pues detrás del portón de alambre se erguía la figura amenazante de un policía, a la que se dirigió sin temor aparente, don Manolo.

"Oficial –dijo– soy profesor de la Universidad y debo llegar hasta mi oficina. Este es mi sobrino."

"No puede entrar, profesor. La Universidad está cerrada. Usted debe saber lo que ocurrió ayer. Unos estudiantes izaron la bandera nacionalista y tuvieron que ser sacados del campus por nosotros. Esperamos que regresen de un momento a otro y éste no es un lugar seguro. Mucho menos para un niño."

"Eso no lo decide usted, oficial, lo decido yo. Y le repito que tengo que estar adentro."

Julián sí recuerda todavía el momento. El día había comenzado a calentar, y el sol ya iluminaba el lugar. Frunciendo el ceño para detener la luz hiriente, miró hacia arriba a los dos hombres frente a frente. Su tío le agarraba aún la mano fuertemente. Estaba vestido, como siempre, de impecable gabán y corbata, y llevaba en la otra mano su eterno paraguas enfundado. Era un hombre alto, con una vistosa melena, de ojos traviesos pero bordeados por espejuelos de concha depositados sobre una nariz bulbosa demasiado grande para su cara. En una boca ancha de dientes muy iguales brillaba en esos precisos momentos una tímida y gentil sonrisa. Pero era obvio, por su porte y por la presión que hacía la punta del paraguas sobre el terreno arenoso, que no consideraba siquiera dar un paso atrás.

El policía no era un hombre de mucho mundo. Había llegado a la capital hacía unos pocos meses como uno de los refuerzos solicitados de la isla con motivo de los problemas iniciados con el regreso a Puerto Rico del líder nacionalista Pedro Albizu Campos. Y tenía instrucciones de no dejar llegar a nadie a la Universidad por esa desusada entrada lateral. Pero nadie le había instruido cómo bregar con profesores decididos y temerarios. Hizo allí mismo el malabarismo interpretativo más cómodo, y pensó que en realidad a ellos les tocaba detener a los estudiantes que regresaran a crear problemas, pero nadie le había dicho que había que detener a los profesores, y menos cuando intentaban entrar inofensivamente acompañados de sus hijos. Al ver un giro de las botas relucientes, Julián se dio cuenta de que les iban a dar paso.

El camino hacia la plazoleta central de la Universidad era una recta raya de guijarros claros en medio de la alfombra verde-grama del campus, bordeado a ambos lados por altos árboles de panapén cargados de fruta. Don Manolo no podía sino recordar, cada vez que las piedrecillas se pegaban a sus zapatos, sus años de infancia, cuando no había tenido zapatos, cuando guijarros muy parecidos a éstos le herían la planta de los pies camino a la venta de leche y a la escuela.

Don Fernán, su padre, había venido de España de muchacho como guardia civil, encargado de cuidar uno de los puentes que daban entrada a los barrios rurales de la capital, San Juan. Asignado luego al centro de Río Piedras, había divisado en una de sus rondas de la tarde a una joven puertorriqueña que le ofrendaba una tímida sonrisa desde su balcón. No era extraño en esos tiempos ver a un joven y reluciente guardia civil adosarse a la pared baja de un amplio balcón y conversar amigablemente con una criolla. Las familias locales sin gran alcurnia, siempre atentas a la importancia de la oficialidad militar en la colonia, no levantaban grandes objeciones a que sus hijas recibieran las atenciones de los miembros de la casta policial extranjera. Y fue así como el joven guardia recibió la mano de su pretendida unos meses después, no sin antes haber amenazado con escaparse juntos y haber negociado con un iracundo padre el asunto de la dote.

Fue precisamente el mes de la frugal boda en Río Piedras cuando los Estados Unidos de América invadieron a Puerto Rico.

El evento, como era de esperarse, dejó sin trabajo al joven guardia, varado en tierra extraña. Don Fernán y Doña Carmen, que así se llamaba la esposa criolla, tomaron una decisión grave: su hijo primogénito nacería en España. Ni el español ni la puertorriqueña estaban muy seguros del futuro bajo los nuevos amos anglosajones. Y se embarcaron, con todas sus muy pocas pertenencias, en uno de los últimos buques que zarparon hacia Madrid antes de que la isla entera dejase de mirar hacia el noreste como había hecho por 400 años y voltease por un nuevo siglo la vista al noroeste, hacia la nueva metrópoli del Atlántico.

Las cosas en España, sin embargo, no les fueron bien. Un pueblo barrido continuamente por el fino polvo gris de la llanura castellana, donde el evento más importante de cada vida era lograr ir alguna vez a ver el papamoscas en la catedral de la vecina ciudad de Burgos, resintió enormemente la llegada de la "indiana". Y resintió aún más su entusiasmo comparativo y muy públicamente reiterado por la tierra esmeralda y la luz dorada de su lejana isla.

Las hermanas de don Fernán fueron crueles y mordaces a todas horas con la jovencita puertorriqueña, y el primogénito nació en soledad, bañado en lágrimas de añoranza por una patria verde y lumino-sa. Al advertir su segundo embarazo unos meses después, doña Carmen decidió sin pensarlo mucho que su segundo hijo nacería en Puerto Rico. Y le dio el ultimátum a un muy incrédulo y ofendido don Fernán: "O te vienes conmigo, o me regreso sola".

El nuevo siglo encontró a la pareja en un campo de Gurabo, en Puerto Rico. El hombre de la casa se dedicó a administrar pequeñas fincas para terratenientes ausentistas españoles del lugar, que confiaban solamente en capataces de su propia raza. Y la esposa realizó los actos propios de su condición en la época: parir, criar niños, cocinar, fregar, lavar ropa, sembrar y recoger en el huerto de la familia. Había en la mujer, sin embargo, una decidida agenda escondida para sus hijos. Fue en la casita de Gurabo donde nació el segundo de ellos, "Manolín", y fue en los caminos empedrados de ese pueblo de colinas donde sus pies aprendieron a tolerar las cortaduras de las piedras, de camino a la escuela desde niño.

Nunca pudo olvidar don Manolo ese origen de niño desvalido, que se levantaba antes del amanecer a ordeñar las dos vacas de la familia para proveer de leche a sus hermanos y luego atravesar el monte y vender el excedente en la puerta trasera de la casa del señor del agrego. A la hora de ir a la escuela ya había cumplido sus tareas familiares por más de un par de horas, y era difícil concentrarse en las lecciones. Sin embargo, Manolín tampoco olvidó nunca la seria admonición de su madre, que diariamente le repetía: "No te quiero agregado de nadie, y para dejar de serlo, tienes que estudiar y saber y llegar a ser tú mismo".

Mientras caminaba de la mano con su sobrino por el camino que conducía a los predios centrales de la Universidad, el maestro recordaba con ternura la admonición de su madre, y extrañaba su presencia. Don Fernán se había suicidado luego de engendrar doce hijos, desesperado por la quiebra causada por la Gran Depresión, y su esposa había muerto de tuberculosis unos pocos años después, no sin antes haber encaminado hacia las aulas universitarias a todos sus hijos y hacía buenos matrimonios a todas sus hijas.

Este niño que llevaba, bien asegurado, asido de la mano pudo haber sido el nieto de aquella abnegada mujer, que nunca lo había conocido y que hubiese estado orgullosa del aplicado y estudioso niño –pensaba el maestro–, cuando fue súbitamente sacado de sus meditaciones por un espectáculo inesperado.

Estaban ya en la plazoleta central de la Universidad, frente a la torre que servía de campanario y oficinas de las autoridades. La Universidad de Puerto Rico, la única, era una creación de los norteamericanos. Los españoles, temerosos de que los nativos aprendieran más de la cuenta y quisieran quitarse el yugo colonial, nunca habían promovido ni permitido la creación de universidades en la isla. Los norteamericanos habían creado una apenas cinco años después de la invasión, principalmente para entrenar maestros con los que americanizar a las juventudes en las múltiples escuelas que crearon por toda la isla. Unos colonizados ambivalentes habían erigido en la plazoleta central de la Universidad una estatua a un líder independentista muerto por los españoles en el exilio, y por otro lado, obviamente para compensar, habían construido en honor al Presidente de los Estados Unidos Franklin Delano Roosevelt un campanario y una altísima estructura conocida como La Torre.

Una multitud de estudiantes extrañamente silenciosos observaban, mirando al cielo, los malabares de un grupo de tres jóvenes que se movían rápidamente sobre el techo del edificio aledaño a la torre, y que ya escalaban el pretil cercano al asta donde ondeaba sola y orgullosamente, la bandera de los Estados Unidos de América. En un abrir y cerrar de ojos, sin apenas dar tiempo a darse cuenta, uno de ellos cortó el cordón del asta, y la bandera se balanceó por un momento, pero agitada por el viento, cayó dando tumbos hacia la multitud, que con un rugido sorprendente, se abalanzó sobre ella y la hizo trizas.

Julián nunca pudo olvidar este inesperado espectáculo, ni lo que le siguió, porque le sirvió de razón, años después, para abandonar a Puerto Rico y tratar de olvidarse de su patria.

Blandiendo macanas, surgieron, nunca supo de dónde, filas y filas de policías de idéntica vestimenta y estatura, del lado opuesto al que se encontraba con su tío, y sin romper el ritmo de su paso, comenzaron a abrir cabezas a diestra y siniestra. La mano de su tío proveía aún, en estrecho apretón, la seguridad necesaria para observar la escena sin temor, pero los hechos quedarían anclados en su memoria para siempre. Era la primera vez que Julián presenciaba la violencia.

El hogar le había provisto al niño de una vida totalmente plácida. Era el sobrino favorito del maestro y su esposa, otra profesora universitaria. Sus tíos se habían conocido cuando recién graduado, Manolo había sido asignado a uno de los pueblos del interior –Guano– como profesor itinerante, la única posición disponible al graduarse. Allí le había tocado dar clases en un colegio en que se educaban las niñas de la casta dominante pueblerina, compuesta por inmigrantes corsos, y era hermana de la madre de Julián. No le había caído bien a los altaneros corsos el inicio de una clara atracción entre el joven profesor y su discípula, pero nada pudieron hacer ante el reclamo del amor.

Manolo y Josefina no pudieron casarse hasta que ella terminó sus estudios universitarios, una exigencia de la familia, pero ese mismo hecho les permitió continuar el noviazgo cuando él fue nombrado profesor de la Universidad. Era lógico que, al casarse, su vida entera girase en torno a la Universidad. Vivían a unos pasos del campus, enseñaban ambos en sus cátedras, compartían con amistades universitarias, recibían a estudiantes en su hogar. Cada vez que visitaba Río Piedras, Julián se encontraba entre libros y estudiosos. Nada en la rutina de aquel hogar y de aquella vida le había preparado para la violencia de esa mañana en el para él sagrado recinto de la Universidad.

Miguel García divisó con sorpresa al maestro y al niño al borde mismo de la multitud, mientras corría por el pretil del edificio aledaño a la torre. Allá abajo, la escena era un macabro baile de uniformes azules enfrentándose a un mar de camisas blancas, la mayoría de las cuales comenzaban ya a mostrar rojos parchos de sangre. Por sobre las gorras y las cabezas descubiertas se cernían los negros y relucientes rotenes, en un continuo ir y venir.

Lo extraño de la escena, pensó Miguel, que sin duda era su causante inmediato, era que ocurría en un extraño silencio. Los guardias realizaban su muy eficiente operación sin emitir sonido, y los estudiantes, quizás para no demostrar su desconcierto o para significar su valor, recibían los garrotazos también sin un sonido. Solamente se escuchaba el arrastre de los zapatos sobre el pavimento, y la masa total, policías y estudiantes juntos, se movía como una serpiente en agonía por los cuadrantes de la plaza, sin dispersarse. Miguel perdió de vista la escena tan pronto brincó dentro del edificio por la ventana abierta.

Jadeante y sudoroso, corrió por los pasillos desiertos del segundo piso de las aulas. Habían logrado su objetivo. Hacía unos días ese año de 1948 había regresado a Puerto Rico el líder del nacionalismo y del anticolonialismo, Don Pedro Albizu Campos. Y las autoridades universitarias le habían negado autorización para dirigirse al cuerpo de estudiantes universitarios en el campus. En demostración de solidaridad, un grupo de líderes estudiantes, Gustavo entre ellos, había izado muy temprano en la mañana en el asta oficial, antes de que llegasen los bedeles oficialistas, la bandera monoestrellada prohibida del nacionalismo. Y al llegar éstos con su bandera norteamericana para izarla, se habían encontrado con el asta ocupada. El ridículo oficial había corrido por el campus como pólvora. A pesar de que la bandera puertorriqueña había sido bajada innoblemente y pisoteada por los oficiales universitarios, todo el mundo sabía que los conspiradores estudiantiles habrían de responder a la ofensa al día siguiente.

Y lo habían hecho. Pero lo habían hecho al revés.

Los habían esperado ahora de madrugada, creyendo que izarían nuevamente la bandera patria en el asta de la del invasor. En unas pocas horas, incluso, habían tendido verjas de alambre eslabonado en las áreas de acceso al campus que hasta ese momento habían estado abiertas. Y habían llenado el campus de policías armados de ametralladoras, esperándolos.

Pero ellos habían sido más listos. Habían dormido dentro del campus, escondidos en uno de los salones que daba al pretil que, a su vez, llevaba hasta el asta oficial. Habían visto entre sonrisas cuando los conserjes protegidos por guardias armados habían izado la bandera norteamericana. Y cuando comenzó a flotar airosa, abandonaron su guarida, corrieron como rayo por el pretil, cortaron la soga del asta, y lanzaron la bandera al pavimento, para que recibiese el trato que la suya había recibido el día anterior. Ahora su amigo Gustavo corría de regreso, seguido de sus dos compañeros, al salón que les había servido de guarida.

Esta vez no iba a ser tan sencillo. Al bajar las escaleras del primer piso, enmarcados contra la brillante luz de la mañana en el marco de la puerta, un grupo de policías, macanas y ametralladoras en mano, les esperaban. No había mucho tiempo para pensar. Miguel miró hacia atrás, pero desde el pretil donde había ejecutado su fechoría, entraba por la misma ventana otro grupo de policías. No parecía haber escapatoria posible, y, en su mente, Miguel comenzó a contemplar la posibilidad de que aquel fuese el último día de su vida en esta tierra.

Pensó en Violeta y la niña. No había sido fácil ese matrimonio. Ella era mayor, y había quedado encinta en la Universidad de un hombre sin escrúpulos. Miguel la había conocido en las clases de tercer año. Violeta era delgada, esbelta, de piel blanca y suave, con un pelo lacio negrísimo, y unos grandes e intensos ojos también negros, que le cautivaron para siempre. Una noche de carnaval, la fue a buscar a Guano y se la trajo, encinta, a vivir con él. Decidieron criar a la niña como suya. Se habían casado en ceremonia civil en San Juan, y eran felices. En esos momentos su amada debía estar buscando a la niña, a su igualmente amada Ana Violeta García Rodríguez, en la escuela de Río Piedras.

En ese veloz instante en que uno se enfrenta a la posibilidad de la muerte, Miguel había recordado a las dos mujeres que adoraba. Vivían en una casita de madera y zinc en el barrio obrero de Río Piedras, cerca de la vía del tren. Ella cuidaba a la niña y él estudiaba con gran dedicación a la luz de una bombilla desnuda que alumbraba la totalidad de la sala, separada del dormitorio y del excusado por una cortina de tela barata y ya algo raída. De vez en cuando, se sentaban ambos a escuchar por la radio las alocuciones del liderato político y comentaban con gran detalle y emoción lo dicho por unos y otros. Un temblor en los labios le hizo darse cuenta de que él mismo pensaba que jamás regresaría a ese hogar.

Decidió, y los dos compañeros que le seguían intuyeron, que no había otro remedio que tratar de cruzar el cordón policíaco a la fuerza. No estaban armados, y la única estrategia podía ser meterse por algún agujero que se crease en la línea de guardias al tratar de acorralarlos. Y así ocurrió. En un momento relámpago, chocaron los tres estudiantes contra los cinco policías, se produjo un forcejeo de manos, pies, rotenes, y en medio de él, uno de sus compañeros se escabulló por debajo de los pies del guardia que trataba de retenerlo, mientras Gustavo caía, el cráneo obviamente rajado en dos por la culata de una ametralladora. Miguel vio ambos hechos, y, decidido, se lanzó contra el cuerpo del oficial que tenía en frente para tumbarlo.

El rotén cayó sobre su ceja izquierda y abrió una herida ancha de la cual brotó sangre tan densa, que le cegó de momento. Trató de incorporarse, y en medio de un mareo horrible, escuchó una voz inconfundible. "Oficial –decía– hágame el favor de explicarme qué usted hace". En el mismo umbral de la puerta, erguido con su paraguas en la mano, el maestro interpelaba al sargento a cargo del destacamento policíaco. El sargento, uno de los nuevos y astutos oficiales de Río Piedras, le había reconocido enseguida por haberse criado en Gurabo, y, como por arte de magia, se había paralizado. El sargento agarraba a Miguel por el cuello de la camisa que se manchaba a borbotones. Otro policía arrastraba el cuerpo del estudiante muerto. Y el paraguas del maestro señalaba directamente hacia ellos.

"Tiene usted que comprender, don Manolo, estos hijos de puta han bajado la bandera americana, y hay que arrestarlos." "Una cosa es arrestarlos Elemaniel –dijo el maestro a su conocido, en una voz baja y cariñosa, usando su primer nombre– y otra es asesinarlos." Y señaló con el paraguas al piso.

El sargento, en su forcejeo con Miguel, no había tomado conciencia de que a su lado uno de sus subalternos arrastraba un cadáver, y al verlo, supo que estaba en una situación gravemente difícil. Pensó por una milésima de segundo en la posibilidad de un tiroteo accidental en que perecieran su arrestado y el maestro también, pero ya había notado que, pegado de su mano izquierda, y con unos ojos muy abiertos, un niño de unos diez años miraba espantado la escena. Y ninguna bandera, ni siquiera la gloriosa bandera norteamericana, valía la muerte de un niño.

En medio de las dudas de Elemaniel Bermúdez, Miguel García sintió cómo se le aflojaba el agarre sobre su camisa y no lo pensó dos veces. Forzó todos los músculos de su espalda, dejó el girón de su camisa en el puño del policía, y corrió como un desesperado, no sin antes tratar de agradecer con su mirada la intervención de su profesor.

Una casi imperceptible señal de aliento apareció y desapareció muy rápidamente de la faz de don Manolo. El sargento no intentó perseguir al fugitivo. Sin decir palabra, le viró la espalda al profesor, y se dedicó a increpar al pobre guardia que en estos momentos muy patéticamente buscaba una identificación en las ropas del estudiante muerto. "Vamos Julián, ya has visto lo que vinimos a ver", dijo don Manolo al niño, y volteándose, se encaminó de regreso a su casa por donde habían venido. Esta vez, el camino estaba lleno de pedazos de ropa, de libros, de zapatos. Y a lo lejos, autobuses policiales de un azul obscuro eran abarrotados de jóvenes a empellones de ametralladora y rotén.

Julián no se atrevió a hacer un comentario, ni una pregunta siquiera. En su mente de niño la excitación por lo contemplado no comparaba con nada de lo que hubiese sentido o pensado hasta ese día. Y un sedimento enorme de aventurismo quedó pegado de las paredes de su alma desde esa mañana. Muchos años después, en el ocaso de su vida, Julián sonreiría al pensar cómo, por un medio o por otro, había tratado, por décadas, a veces de enterrar y otras de revivir el sentimiento de aquel niño de diez años. Llevaba aún muy dentro del alma, protegido por corazas de negación, lo que había sentido el día que, acompañando a su tío y maestro, había estado en el centro mismo del motín de la Universidad.

Maestro y discípulo caminaron en silencio en camino al hogar. Julián sintió la mano del tío regresar a la suya sudorosa y caliente, pero mucho más segura que esa misma mañana.

Muy cerca de ellos, a pesar de que la sangre casi no le dejaba ver, Miguel corría por pasillos, caminos de gravilla, predios de grama, predios de árboles.

Pensaba, también, en su padre Renán, aquel pescador de Cabo Rojo de piel curtida y obscura y de pelo ensortijado y encanecido, que tuvo que dejar el tercer grado de escuela minado por el hambre y la tuberculosis. El hombre pudo, sin embargo, sobreponerse a ese destino, y, años después, había sido un próspero comerciante de Mayagüez que había sabido aprovechar las destrezas del contrabando durante la Segunda Guerra. Había logrado retar a la sociedad de su pueblo, y, a fuerza de dinero, casarse con Aimeé Sagan, una blanquísima joven de oronda extracción francesa, ocupado el matrimonio grandes posiciones de poder económico y una de las pocas casas del famoso arquitecto Nechodoma que se habían construido en el Oeste. Hoy en día, luego del suicidio de su esposa, por razones aún desconocidas, el padre arruinado leía con fruición y bebía, solo, todas las noches, en la mansión abandonada y cerrada a la entrada del Colegio.

Con muchas esperanzas para su desarrollo como un intelectual, su padre había decidido enviarlo a la Universidad en Río Piedras, pues consideraba el Colegio provinciano, y quería un hijo con quien conversar sobre los miles de temas que había ingerido en su adultez autodidacta. Si le viera ahora, no estaría contento de tenerlo corriendo por su vida, pero estaría orgulloso de su valentía y de su nacionalismo. Seguro de ambas cosas, por encima de sus heridas, Miguel sonrió.

Corrió, hasta que pudo ver, al secarse la sangre con el resto de su camisa, que si lograba brincar la verja levantada el día anterior, podría cruzar la vía del tren hacia el Amparo, barrio obrero de Río Piedras donde estaría, quizás, a salvo. Y de allí, escaparía con Violeta y Ana al interior de la isla, hasta el pueblo de la mujer que amaba, hasta los montes de Guano.

4
Violeta y los americanos

Había encontrado a Violeta Rodríguez –le escribió Julián a su mujer, que se había quedado en el apartamento en Nueva York. Tenía 90 años, y vivía, viuda y sola, en una de las muchísimas urbanizaciones cerca de la Universidad, en Río Piedras. La atendía, durante las horas del día, una señora dominicana que sus hijos habían conseguido para que le hiciera compañía. Por teléfono le había advertido la acompañante que doña Violeta lo vería luego de regresar de su misa diaria, a las seis de la tarde. Para cerciorarse, Julián pasó en su auto por la iglesia de la urbanización, un feo mogote de cemento con una aguja hacia el cielo como única indicación de uso religioso, y rodeada de una horrible extensión de bitumul negro, sin un árbol, sin una flor, ocupado íntegramente por una marea de automóviles de todos colores y tamaños, que ya salían en una incómoda fila. Esperó frente a la dirección que le habían ofrecido, y en unos momentos uno de los autos dejó frente a su casa al objeto de su interés.

Era una mujer encorvada, arrugada, con un rictus de tristeza y tensión en la boca, y con una melena canosa. Unos espesos lentes en sus espejuelos redondos deformaban sus ojos, haciéndolos parecer enormes en su cara. Le había recibido en el balcón de la casa, y, sin ofrecerle siquiera un vaso de agua, le preguntó con sequedad qué quería. Julián mintió, diciendo que estaba escribiendo un libro sobre el nacionalismo de hacía cincuenta años, y necesitaba su ayuda sobre la vida política de Miguel García. Violeta, incómoda, dudó, pero le dejó preguntar.

Hyde Park, la urbanización donde vivía Violeta Rodríguez, viuda de García, era una de las muchas que se habían construido en los años del gran "milagro" económico de la década de los cincuenta en San Juan. Eran todas casas de cemento armado, de uno o dos pisos, de construcción simétrica, con ventanas estilo "Miami", totalmente desprovistas de belleza o atractivo alguno, funcionales, baratas. La mayoría de ellas habían sido compradas, gracias a garantías hipotecarias norteamericanas, por profesores universitarios jóvenes y de bajos recursos. Pero ahora, treinta años después, esas casas eran habitadas mayormente por viudas solas, que se hacían una extraña compañía, echando de menos a sus maridos muertos. La isla mataba a los machos y eternizaba a las mujeres. Ocho o diez de ellas vivían, casi como monjas, en un par de cuadras de la urbanización de Hyde Park. Gracias a que una de ellas era tía de Julián, no se le había hecho difícil localizar y lograr una cita con aquella viejecilla que ahora era Violeta.

La casa era obviamente cómoda, con cinco o seis cuartos, como se podía ver por el número de ventanas. El balcón era estrecho, amueblado con silloncitos de hierro forjado, incómodos por demás, con cojines de hechura manual en tela de cuadros rojos y blancos. Un rosal meticulosamente cuidado crecía al pie del balcón, y matas de agua colgaban de las imponentes rejas que cerraban por tres lados el acceso al hogar. Una brisa fresca batía las matas sobre la cabeza de Julián cuando Violeta comenzó a contarle, con prudencia pero aparente fruición, su vida.

Recordaba muy bien su niñez en Guano. Se había criado en la hermosa casa de cal y canto de don Casimiro, su padre. Había cuidado de las muchas plantas, y había jugado una y otra vez con el vistoso loro de la entrada. No había tenido otros amigos que su hermano mayor, Alejandro, y sus dos hermanas menores. Ese hermano, en su adolescencia, había sacudido su vida.

El día en que ella cumplió dieciocho años y se iba a la Universidad en Río Piedras, Alejandro le contó la historia del día entero del 6 de agosto de 1898, cuando él apenas tenía diez años: el día en que los soldados norteamericanos entraron al pueblo. Después de escuchar esa historia en la voz entrecortada de su hermano –explicó– Violeta había perdido el amor por su padre y había sellado su destino, que se cumpliría junto a Miguel García.

Esa mañana de 1898 su madre había vestido a Alejandro primorosamente, y le había dado instrucciones a las tres hermanas de comportarse con mucha compostura, pues tenían en la casa a un importante invitado a desayunar: el comandante Rafael Martínez Illescas, jefe de la guarnición española en Guano. El otro invitado era don Adrián Belinger, el sacerdote del pueblo, quien había bendecido los alimentos y había elevado una oración al Todopoderoso "por la Madre Patria España" y el futuro de sus tropas en Puerto Rico luego de la invasión de los Estados Unidos, que había ocurrido hacía dos semanas por el puerto de Guánica.

En la temprana luz de la mañana, sentados en la enorme mesa de caoba en el centro del comedor, los seis comensales habían estado apesadumbrados y silenciosos. Los niños habían visto y oído el comandante Illescas expresarse con tristeza sobre el futuro que le esperaba a la Isla si los norteamericanos triunfaban en la invasión, y don Casimiro había hecho uno y otro esfuerzo por sacarlo de su depresión y asegurarle que la población toda de Guano, "como un solo hombre", combatiría calle a calle y palmo a palmo para evitar que el pueblo cayera en manos de "los bárbaros del Norte".

Un soldado español, en su uniforme blanco y sombrero de pajilla, había subido con gran ruido de botas las escaleras para notificarle al comandante que el regimiento de Wisconsin había sido visto entrando desde la carretera militar hasta la hacienda de doña Clotilde, la madre del alcalde, a las afueras del pueblo. Illescas corrió escaleras abajo a su caballo, que retenía otro soldado en la esquina de la calle, y ordenó que se sonase la trompeta de alarma a toda la población. Antes de montar, se encontró en la calle a don Juan Belinger, y le habló sombríamente mientras se fumaban juntos un par de cigarrillos. "Este –le dijo, mientras Alejandro escuchaba desde el balcón– va a ser el último día de mi vida".

Cerca del mediodía, cuando la tropa española montada a caballo ya se movía hacia la cuesta de salida del pueblo, en dirección a Aibonito, se escuchó el estruendo de disparos de cañón al otro extremo del pueblo, en la salida hacia Ponce. La Guerra Hispanoamericana se libraba ya en las llanuras aledañas a Guano, en el corazón mismo de Puerto Rico. El comando de los Estados Unidos había establecido contacto en Ponce con hombres locales que estaban a favor de la independencia de la Isla, y que por estarlo, favorecían igualmente la caída del régimen español, convencidos –ilusoriamente, dijo con dolor Alejandro– de que el pueblo de los Estados Unidos reconocería de inmediato las ansias independentistas de los hijos de los fundadores del país.

Don Carlos Patterne y Rufino Huertas, el maestro de escuela de la población, se habían adelantado hasta la tropa en la hacienda de doña Clotilde y le habían ofrecido a los americanos toda la información sobre las fuerzas y defensas de los españoles. Pero don Casimiro –español a toda prueba– había tronado, indignado, contra la "traición".

En la hacienda de doña Clotilde Rodríguez, sin embargo, el general Robert Ernst había sido recibido con bombos y platillos. La clase dominante de hacendados no tenía mucho interés en que el régimen español sobreviviese, siempre que ellos sí lo hicieran. Y la muy práctica de doña Clotilde, tan pronto vio desaparecer en el horizonte la caballería española que se replegaba hacia el pueblo, envió uno de sus agregados a caballo a darle la bienvenida al alto, corpulento y rubio general de los Estados Unidos.

Hubo un problema con la bienvenida. El pobre infeliz jornalero, que no sabía ni pizca de inglés, fue confundido por un facineroso por los primeros soldados norteamericanos y cogió una buena tunda de macanas antes de que por señas serviles, pudiese comunicar a la oficialidad que su función era de bienvenida. Pero cumplió su cometido, y le entregó al general la bella carta de bienvenida escrita de la primorosa mano de doña Clotilde.

La tropa norteamericana, montada en los altísimos caballos extranjeros, vestida con uniformes marrón obviamente muy calurosos para el trópico, y acompañada de una banda que tocaba marchas desconocidas para la población, hizo su entrada en Guano una hora después del mediodía. Alejandro presenció, otra vez desde el balcón en su traje de domingo, el espectáculo que ahora Violeta le describía a Julián. La población, los hombres y mujeres del pueblo, permanecieron encerrados en sus casas apenas mirando por los visillos de las celosías que daban a la calle. Sin embargo, al desmontar los soldados en medio de la plaza, los más atrevidos comenzaron a salir de sus casas, ofreciéndole a la soldadesca tragos de sus canecas de ron y admirando muy particularmente las gigantescas mulas de carga de Wisconsin, que eran dos o tres palmos más grandes que las nativas. Si los burgueses no se preocupaban de cuál de los dos lados ganaba, las masas tampoco parecían muy preocupadas por el resultado final.

A Violeta le pareció extraño, aun a su temprana edad, que la predicción de su padre de hacía apenas unas horas no se había cumplido en absoluto. Ni un solo disparo había ocurrido a la llegada de los invasores. Ni un solo incidente había manchado la entrada triunfal de aquellos extraños hombres a su pueblo. Y sin embargo, una hora después, luego que la caballería invasora se dirigió a la salida misma del pueblo, se había desatado lejos del pueblo una vorágine de fusilería que se podía escuchar muy claramente, retumbando en los cerros aledaños. La resistencia a la invasión había comenzado –le dijo, haber creído, su hermano Alejandro a Violeta– "y ahora verán esos americanos irrespetuosos lo que es el poder de esta Isla". En efecto, fue en esos montes, ese día, cuando comenzó la resistencia de un siglo.

La batalla en los cerros de Guano duró dos horas. A las tres de la tarde, a menos de una milla de la plaza del pueblo, el comandante Martínez Illescas, que dirigía la carga de sus tropas montado en su hermoso caballo blanco, cayó herido de muerte. Su tropa, desmoralizada por el deceso de su líder, galopó prontamente por la carretera

hacia la altura, seguida a galope feroz por la caballería norteamericana. Un veloz correo llegó a la plaza del pueblo, entró en la Alcaldía,
decomisó el telégrafo, y envió un parte a Ponce que de allí iría a Washington: "*We have taken Guano*".

El relato que las sirvientas y los agregados llevaban y traían
subiendo y bajando, a tumbos, las escaleras de la casona de cal y
canto, era que don Casimiro se había mantenido encerrado en su
despacho, al final del pasillo de su casa, sin salir ni querer saber.
Doña Ana entraba de vez en cuando en el recinto y le transmitía las
noticias que traían "la gente del pueblo". Era obvio que don Casimiro
sufría en silencio encerrado –pensó entonces Alejandro, y una que
otra lágrima de tristeza corrió por sus mejillas de niño. Con ademán
mandón, su madre le instruyó enseguida: "Estas no son horas de un
hombre estar llorando".

A eso de las tres de la tarde, la tropa norteamericana volvió a
subir la cuesta del flamboyán de don Sancho, de regreso de la batalla.
Orondo y erguido, la presidía el general Ernst, llevando a su lado,
tirado de lado sobre su hermoso caballo, el cuerpo inerme del Comandante Illescas. Al desmontar en la plaza, el general dirigió por vez
primera un vistazo a las casonas que la rodeaban. No se le hizo difícil
pensar que la mejor construida, la de cal y canto, era el hotel del
pueblo, y hacia allí se dirigió con paso firme, en busca de un buen
almuerzo.

Sudoroso, lleno el uniforme de polvo, con sus botas manchadas
de fango y sangre, el general Ernst subió a grandes trancos las escaleras de la casa de don Casimiro Rodríguez, encontró un hermoso comedor con fina cristalería y mobiliario, se sentó en una de las enormes
sillas de caoba, puso las botas sobre la mismísima mesa y el mantel
de fino encaje europeo, y pidió comida a tres asombradísimos sirvientes que corrieron a buscar a doña Ana al despacho del señor
alcalde. Alejandro, desde un rincón acortinado, vio aquella grotesca
escena, que años después describiría, aún con rabia, a Violeta.

Unos minutos después, una pundonorosa doña Ana Toledo
de Rodríguez le informaría al irrespetuoso americano, en perfectísimo

inglés de Shakespeare, que aquello no era un hotel, sino la casa del más prominente ciudadano del pueblo, su alcalde, don Casimiro Rodríguez. Obviamente tomado por sorpresa, el enorme yanqui bajó de inmediato sus botas de la mesa, trató de acomodar el mantel manchado y desarreglado, y se excusó una y mil veces con la seca mujer de mirada fulminante que le reprendía. Con gesto imperioso, doña Ana ordenó a los sirvientes que cambiasen el servicio del comedor, y llevasen al general Ernst hasta el baño de la servidumbre, para que pudiese asearse un poco, antes de ofrecerle nada de comer. "Cosas de la guerra, señora, cosas de la guerra", le repetía el general contrito y mohíno, a todo el que se encontraba en el pasillo, en voz bien alta, a ver si doña Ana le oía y le perdonaba.

Violeta había admirado a su madre, y se gozaba la escena que le contaba su hermano. Pero unos momentos después, su padre salió del despacho, cuadró a sus hijos a la entrada del comedor junto a doña Ana y a él, y le dio la bienvenida al general Ernst con una obsequiosa sonrisa y una inclinación de cabeza, extendiéndole su mano ensortijada. El anfitrión fue tan obsequioso con el invasor en la tarde como había sido con el invadido en la mañana, y le ofreció al general "almuerzo, cena, una habitación para la noche, y desayuno al otro día". Violeta no pudo sino preguntarse qué estaría pensando su padre, luego de sus horas de encierro, especialmente cuando Alejandro le dijo que desde las ventanas del comedor se veía aún, en medio de la plaza, sobre la grupa de su caballo, el cadáver de Illescas.

Don Casimiro Rodríguez fue confirmado de inmediato por el general invasor como el alcalde de Guano ese mismo día, y se dio a la tarea de atender y alojar a la tropa invasora con gran tacto y energía. Una sola cosa le pidió al general Ernst: que emitiese una proclama de inmediato, que fuese leída en las misas de la noche y en todos los rincones del pueblo, protegiendo a los españoles de los puertorriqueños, que le dijo, "son gente sin honor, que puede querer atacarnos por creer que hemos abusado de ellos". Le propuso también al general Ernst que se celebrase una cena íntima, con los seis u ocho notables del pueblo, para que los pudiese conocer, alrededor de las nueve de la noche. El americano, que no era muy ducho en historia de la Isla, emitió la proclama de protección de los españoles, pero dijo que pensaría un poco sobre la invitación.

Retirado a un rincón del comedor con su ayudante, el capitán Harry Alvin Hall, el general parecía tener otras cosas en la cabeza que saraos de bienvenida de los notables de Guano. De hecho, luego de consultar al capitán, le envió a decirle al señor alcalde que no habría fiesta ninguna en su casa esa noche, y que al despuntar el alba, la tropa seguiría hacia Aibonito sin mayor ceremonia. Por el contrario, despreciando en todo momento al alcalde, el general se sentó con el capitán Hall a dictar una carta que obviamente creía muy urgente e importante. Alejandro, que todavía no había sido enviado a la cama, dados los extraños sucesos del día, escuchó al capitán Hall mientras dictaba en español a uno de sus ayudantes, y por su semblante, pudo saber que el asunto era de enorme importancia y gravedad.

El americano dictó ese día una carta a la viuda del español. Lo había visto morir, y desatendiendo los obsequiosos gestos de su anfitrión boricua, creyó su deber honrar a quien le había combatido y no a quien se le rendía. Abrió la carta a su viuda expresando admiración por el valor del soldado. "Su esposo –dijo– cruzó la línea de fuego seis veces, buscando la muerte honrosa antes que la rendición. Le pido mil perdones por la intención de las fuerzas adversarias, pero la admiración por un enemigo intrépido y valiente es el único privilegio de un soldado y una de las pocas satisfacciones de la guerra. Era mi deber ofrecerle a usted este homenaje a la memoria de un héroe."

Casi un siglo después de aquellos hechos, a doña Violeta se le humedecieron los ojos cuando relató a Julián, de memoria, palabra por palabra, lo que de niña había podido escuchar de labios de su hermano. Y no pareció querer decir nada más. Su silencio, y su respiración jadeante, decían que Illescas seguía siendo un héroe en su memoria. Don Casimiro era otra cosa.

Julián creyó, y esperó para comprobarlo, que la historia de la invasión de Guano por los norteamericanos era solo el preámbulo de la historia de Violeta y Miguel, y que si esperaba a que su ahora frágil interlocutora se recobrase, sabría muchísimo más sobre el misterio del incendio y del calcinado. Sin embargo, ella lo despidió hasta otro día.

5
La segunda invasión

A fines del verano de 1985, Elemaniel Bermúdez se encontraba tranquilo en su oficina del séptimo piso del edificio de la Policía de Puerto Rico. Sentado, con los pies cruzados sobre su escritorio, leía informes rutinarios de sus agentes encubiertos en la Universidad, dirigidos a él en su función de superintendente auxiliar, el segundo en mando en toda la Isla. Esa tarde le dio por recordar lo rápido y seguro de su ascenso, luego de aquel día casi cuarenta años antes, en que tan efectivo había sido en reprimir la huelga en la Universidad de Puerto Rico, y se sintió muy satisfecho consigo mismo. No pensó, en ese momento, sin embargo, sobre sus días en el pueblo de Guano. Eso lo haría mucho después.

Su dedicación, su trabajo sin tregua, le habían llevado a unos pies tan solo de la oficina del superintendente, y Elemaniel sabía que en unos meses sucedería al hombre nombrado por el señor gobernador Rafael Romero, temido y despreciado por todos.

El Superintendente era un peje al que los oficiales le decían *Zanano* o *Rambito*, por la obvia incapacidad de un civil para ocupar el cargo. Su propia dedicación, se dijo don Ele, se reflejaba esta misma madrugada. Nadie que no estuviese de turno o de retén llegaba a su oficina a las cinco de la mañana, para comenzar el día de trabajo. Pero él sí, y allí estaba. En ese preciso momento en que se felicitaba, sonó el teléfono.

Uno de los mejores periodistas del país, su amigo Ariel, le interrogaba de pronto sobre la enorme batida contra los terroristas que las fuerzas de los Estados Unidos realizaban en todo Puerto Rico en esos mismos momentos. Y don Ele, el coronel Bermúdez, no sabía nada sobre el asunto. Por supuesto, luego de reponerse de la sorpresa, le explicó a Ariel que en asuntos de tanta gravedad no le estaba permitido dar información alguna, y que tan pronto llegase el superintendente en la mañana tendrían algo que decir. Pero tan pronto enganchó el teléfono, con un muy sonado y soberano carajo, marcó el número del Negociado Federal de Investigaciones en su línea directa, que le rebotó muy ocupada, por primera vez en diez años. Don Ele tendría que conformarse con leer la prensa en los próximos días para enterarse de lo que estaba pasando en su propio país.

"GRAN BATIDA DE ESTADOS UNIDOS CONTRA LOS SUBVERSIVOS", leerían los titulares del día siguiente. Un Gran Jurado de los Estados Unidos –decían todas las primeras planas– emitió acusaciones contra 12 personas vinculadas con el terror. Y por días y días que le parecieron sin fin, fuera de la trama que estaba siendo informada, Elemaniel Bermúdez, el fiel y leal policía boricua, leyó (como Julián haría en su investigación en la Biblioteca Carnegie diez años después):

LUNES. "El Negociado Federal de Investigaciones de los Estados Unidos arrestó ayer 11 personas vinculadas con el clandestino Ejército Popular Boricua. En el operativo participaron 400 agentes norteamericanos, tres helicópteros, y un número indeterminado de agentes de la Policía de Puerto Rico. El Fiscal General de los Estados Unidos dijo que "este encausamiento es una señal para los terroristas y sus seguidores de que nuestra reacción será terminante hacia acciones cobardes de violencia"."

"Portavoces de los Estados Unidos indicaron que aún no se ha logrado arrestar a otro sospechoso, conocido solamente por *El Gato*, quien, de acuerdo con documentos incautados en la redada, es el líder y más prominente miembro de la banda de terroristas que favorecen la independencia de la Isla."

"El pasado Día de Reyes, en el barrio popular de Capetillo, el brazo político del Ejército Popular Boricua se dedicó a distribuir juguetes, jamones y dinero entre sus habitantes. El dinero para dichos regalos había sido robado del Bank of Boston, en su sucursal de San Juan, capital de Puerto Rico."

MARTES. "El Gobernador de Puerto Rico dijo hoy que el Superintendente de la Policía le había informado que ha "estado bregando junto con el FBI" en el arresto de numerosos miembros de un grupo terrorista, pero que no haría comentarios adicionales al respecto. Mientras tanto, una fuente no identificada en el Edificio de los Estados Unidos en Hato Rey indicó, por su parte, que "esta es una situación particular, porque está envuelto el gobierno revolucionario de Cuba", pero no quiso dar detalles."

MIÉRCOLES. "Un grupo de revolucionarios subversivos terroristas identificados únicamente por sus seudónimos *Juvenal, Robot, Romano, Jumbo* y *Falcón,* entre otros, fueron sacados de Puerto Rico esta madrugada en helicópteros de la Marina de Guerra de los Estados Unidos, y llevados hasta la Base Naval de Roosevelt Roads en la vecina isla de Vieques, desde donde fueron enviados en aviones militares hasta los Estados Unidos. Fuentes en el Edificio de los Estados Unidos en Hato Rey dejaron saber que el traslado a la Base Naval había ocurrido "como en cualquier otro país", sin tocar territorio puertorriqueño. Se desconoce el paradero de ninguno de los 10 arrestados."

JUEVES. "Abogados puertorriqueños radicaron hoy un recurso de "habeas corpus", pidiendo que se les produzcan los arrestados en la redada de subversivos de ayer, pero en una acción rápida y sin precedente, el Honorable Tribunal supremo de Puerto Rico, por voz de su distinguido Juez presidente, se declaró "sin jurisdicción" en el evento, y desestimó los argumentos de los defensores de que sus clientes habían sido "secuestrados" y sacados de la Isla."

"En una información del periódico norteamericano New York Times, un vocero de la Sección de Asuntos de la República de Cuba en Washington dijo que "estaba escéptico" sobre los cargos contra su país por intervención armada en Puerto Rico mediante grupos locales de terroristas. El portavoz dijo: "Cuba ha sido acusada de tantas cosas que esto no es nuevo". No ofreció más datos."

"En una comunicación a manuscrito, dejada a los abogados de la defensa, los acusados de subversión emitieron la siguiente declaración: "Hemos sido encarcelados por el imperialismo yanqui por ser representantes dignos de un pueblo en lucha. Nuestro compromiso con esa lucha es inquebrantable. La victoria final será nuestra porque la historia no la detiene ni la cárcel ni la muerte. La patria es valor y sacrificio. Viva Puerto Rico Libre»." No hubo reacción oficial al comunicado."

VIERNES. "El Gobernador de Puerto Rico sostuvo hoy que el operativo realizado hace días para arrestar a personas vinculadas con el terrorismo "está dentro de la autoridad de los Estados Unidos sobre Puerto Rico". "No se plantea tema de endoso o no endoso, ellos son los que mandan aquí" –dijo. Elaborando hoy sobre sus declaraciones anteriores, el Gobernador de Puerto Rico dijo que supo del operativo mientras se estaba realizando, pues "ni por cortesía se comunicaron los americanos conmigo". "A mí no se me hizo ningún tipo de consulta", añadió. Fuentes que no quisieron ser identificadas en el Buró Federal de Investigaciones contestaron estas declaraciones a un analista político diciéndole que el Gobernador "no es persona de nuestra confianza, y por tanto no había por qué informarlo"."

LUNES. "El Gobernador de Puerto Rico aclaró hoy lo que había dicho ayer sobre lo que no dijo anteayer, indicando que está "consternado" por el trato "desconsiderado" que se le dio durante el arresto de los subversivos en Puerto Rico. Con el ceño fruncido, el Gobernador dijo: "a lo mejor han ido muy lejos esta vez. Voy a ver qué pasó en todo esto", pero declinó elaborar cuál acción específica tomaría en este asunto.

"Por otra parte, el Fiscal de los Estados Unidos en Puerto Rico, Wenceslao Pérez, pidió esta noche al fugitivo de nombre no identificado pero conocido por el nombre de guerra de El Gato de Siete Vidas, que se rinda a las autoridades de los Estados Unidos con la amenaza velada de que lo haga "antes de que les pase algo por ahí". El Fiscal identificó tentativamente al fugitivo como uno de los líderes de la huelga estudiantil independentista de 1948 en la Universidad de Puerto Rico, pero no quiso dar su nombre, ya que había la versión contradictoria de que pudo haber muerto en un fuego de origen desconocido hace más de treinta años en el pueblo de Guano. Su esposa no se ha visto en su residencia en los últimos días, y los esfuerzos de localizarla tanto por la policía como por la prensa –para confirmar o no la identidad de *El Gato*– han sido inútiles."

MARTES. "Una fuente no identificada en la Fiscalía de los Estados Unidos en Puerto Rico dijo hoy que "no es seguro" que el fugitivo *El Gato* haya muerto. Corrigiendo una información oficial ofrecida ayer, el Buró Federal de Investigaciones dijo tener informes de que Miguel García, quien era buscado por actos de violencia en la Universidad de Puerto Rico desde hace años, puede haber planificado su "muerte" falsa para dedicarse a la actividad clandestina a favor de la independencia de Puerto Rico, asumiendo otra personalidad. De hecho, algunos funcionarios de los Estados Unidos especulan que *El Gato*, uno de los presuntos líderes del Ejército Popular Boricua, pueda ser el compañero de la fugitiva Violeta Rodríguez, y que la acompaña bajo otra identidad. A preguntas de la prensa, los funcionarios de los Estados Unidos no quisieron especular sobre si se exhumará un cadáver enterrado hace cuarenta años en el pueblo de Guano, en el centro de la Isla, para determinar su identidad."

MIÉRCOLES. "El Departamento de América de la Embajada de Cuba en Ciudad de México sirvió como enlace a las actividades terroristas del Ejército Popular Boricua, alegó ayer el Fiscal de Estados Unidos en Puerto Rico, Wenceslao Pérez. Grabaciones telefónicas, informes de inteligencia y confidencias de ex miembros de esa organización identifican a Fernando Comas como la persona a quien el gobierno cubano había delegado el fomentar las actividades clandestinas armadas en Puerto Rico y los Estados Unidos. Se sospecha que *El Gato*, reputado líder del movimiento, y a quien nunca se ha escuchado en una grabación pero que es mencionado un centenar de ocasiones en conversaciones telefónicas interceptadas, haya escapado luego de los arrestos y se encuentre asilado en la vecina república de Cuba."

Cuba era la obsesión norteamericana, no la suya –pensó Elemaniel Bermúdez mientras leía con fruición todos los partes periodísticos. Su teléfono había estado muy silencioso todos esos días, y nadie se le acercaba ni le decía nada. Pero don Ele no se preocupaba mucho, pues el mismísimo gobernador había admitido que a él tampoco nadie le decía nada, así que mal de muchos, consuelo de todos. Pero ese día, el nombre de Miguel García lo había sacudido. ¿Vivo Miguel García? ¡Si él lo hacía enterrado en Guano desde sus años de policía en la Universidad!

Don Ele no era supersticioso, pero era espiritista, como tantos boricuas que, muy en privado, creían en el más allá. En una sociedad nominalmente católica, no era conveniente para una carrera en el gobierno que se supiera que uno creía en otra cosa que no fuese la Iglesia Católica Apostólica y Romana. Pero en las huestes de la Policía de Puerto Rico, como en tantos otros niveles de vida de la Isla, el espiritismo y la santería llevaban a muchos a tener estampitas de Santa Bárbara pegadas debajo de la gaveta de su escritorio, para protección, y a otros a consultar con mediums conocidas y con santigüeros famosos, cada paso de sus vidas. ¿Había vuelto el espíritu de Miguel García a consumar una venganza?, se preguntó, con un leve temblor corporal, don Ele.

Como un resorte, don Ele se levantó de su escritorio y salió disparado hacia el salón secreto de la División de Inteligencia. La viejísima secretaria pelirroja lo recibió sin inmutarse, no le pidió identificación, y solamente le miró con desidia mientras firmaba su entrada. El salón, frígido con un aire acondicionado a todo dar, estaba brillantemente iluminado por luces de neón, ya que no tenía ventanas. En todas las paredes largos archivos de acero con cerrojo y candados de combinación permanecían intocados. En ellos reposaban las fichas, fotos y expedientes de los 200,000 subversivos que había en Puerto Rico. Don Ele fue al tarjetero, examinó la numeración correspondiente, y se dirigió al archivo 3625, el cual abrió con la combinación que señalaba la tarjeta, la firmó, y sacó el expediente de Miguel García. Amarillentas ya, las hojas del expediente no le dijeron nada nuevo. Y allí estaba, claro y al tope, el certificado de defunción de 1948. A la verdad que la prensa de Puerto Rico se había vuelto loca, se dijo.

Sin embargo, al volver a sentarse en su escritorio unos minutos después, no pudo resistir la tentación, y por primera vez en una semana llamó a su contacto en el Buró Federal de Investigaciones. Tuvo que insistir para que viniese al teléfono Mister Robert Hammond. Luego de saludos fríos, con una tensión en la voz digna de un Javert, don Ele increpó a Bob sobre el asunto del muerto. "Los muertos no resucitan, le dijo, y si alguien sabe que Miguel está muerto soy yo", añadió.

Hammond fue muy circunspecto. Solamente le dijo que no podía hablar nada sobre el asunto, y le dio un consejo a su amigo: "Léete *El Vocero* en los próximos días, dijo con voz suave, todo lo que sabemos se lo estamos dando a ellos, que llegan a la gente. Ahí lo averiguarás todo". Y enganchó sin despedirse.

La lectura de *El Vocero* en los próximos días le ofreció muchísima información novedosa:

JUEVES. "La captura de 10 de los 12 líderes del ejército Popular fue resultado de una división entre ellos con motivo del uso a darse a los $7 millones robados del Bank of Boston en San Juan, afirmó ayer un vocero de los Estados Unidos en Puerto Rico. Al surgir una división por diferencias tácticas en el grupo terrorista, el Gobierno de Cuba decidió continuar apoyando a la facción dirigida por *Juvenal*, un agente suyo desde hacía más de un cuarto de siglo, quien hizo el acercamiento a través de la Embajada de Cuba en México, para que ese país continuase apoyándolo con dinero y armas, traídas a Puerto Rico desde Panamá, particularmente docenas de bazukas desechables antitanque usadas por los Estados Unidos en la guerra de Vietnam."

"El Comandante *Juvenal* prevaleció sobre otra facción dirigida por el abogado laboral identificado únicamente como *Robot*, a quien se identifica como responsable de la muerte de un agente de la inteligencia de los Estados Unidos en Puerto Rico. Ambos hombres eran miembros del Comando Central del Ejército Popular Boricua, pero se dividieron sobre el uso "demasiado atrevido" según Juvenal, de los fondos obtenidos en el robo del Bank of Boston. El Buró Federal de Investigaciones exhibió ayer el arsenal ocupado en los 50 allanamientos de los últimos días en toda la Isla, que incluyen: una bazuka antitanque LAW, dos fusiles de combate M-16 y AR-15, una ametralladora Thompson 45, seis ametralladoras Uzi, quince armas cortas, componentes para la fabricación de toda clase de bombas, un avión Cesna y 6 vehículos, presuntamente todo el arsenal del ejército terrorista."

VIERNES. "El Gobernador calificó ayer de "un asunto muy serio" los informes en el sentido de que en Puerto Rico se estuviesen recibiendo armas de Cuba para llevar a cabo actos de terrorismo. "Eso requiere atención muy especial de las autoridades que tienen que atenderlo", dijo el Gobernador refiriéndose a las agencias de inteligencia de los Estados Unidos en Puerto Rico. "No es un asunto nuestro", dijo el flamante Primer Ejecutivo de la Isla."

SÁBADO. "Los armamentos ocupados en las redadas contra el Ejército Popular Boricua de los pasados días serán examinados en Washington para determinar si fueron los usados en una serie de ataques contra instalaciones militares norteamericanas en la isla de Puerto Rico a partir del 25 de julio de 1978.

"El Buró Federal de Investigaciones identificó hoy al combatiente clandestino conocido como *Juvenal* como el fundador de las Fuerzas Armadas de Liberación Nacional (FALN) que operan en los Estados Unidos a favor de la independencia de Puerto Rico desde el 25 de julio de 1974. La fecha de la creación de los dos organismos clandestinos en Estados Unidos en 1974 y en Puerto Rico en 1978 coincide con la fecha de la invasión de Puerto Rico en 1898. La FALN es señalada como la responsable del ataque, el 4 de julio de 1976, contra Fraunces Tavern, un lugar donde Jorge Washington pernoctó en Nueva York durante la guerra de independencia de ese país. En ese ataque murieron 4 personas y 55 fueron heridas."

Hasta aquí llegaron las informaciones de prensa de ese día. Elemaniel Bermúdez decidió actuar. Creyó tener información importante que proveer a los federales sobre el asunto. Esta vez, sin embargo, no llamó a sus amigos (que tan obviamente se habían olvidado de él) en el Edificio Federal. Esta vez tomó el ascensor, subió un par de pisos en el Cuartel General de la Policía, no sin antes llamar y decir que subía, y se encaminó a la oficina del único hombre que él sabía tenía la confianza total de los norteamericanos. En un par de minutos tocaba a la puerta de la oficina privada del Teniente coronel Alejandro Méndez, mejor conocido como *Jota* por sus compañeros de labores, el hombre más temido de la Fuerza. Escuchó enseguida una voz gruesa y estentórea que emitió un gruñido: "¡Entre!".

El teniente coronel Alejandro Méndez era un hombre alto, fornido, con un meticulosamente peinado afro, y un par de lentes de aviador con tinte ámbar colgados de unas narices aguileñas pero perfiladas. Lucía una camisa rosa cuidadosamente planchada, con yuntas de oro, y una corbata de seda gris con arabescos, a la última moda italiana. *Jota*, de jodón, de rompebolas, de cojonudo, le decían todos en la Fuerza. Pero allí en su oficina, a punto de congelación con el aire acondicionado a todo dar y con su sonrisa simpática y abierta, *Jota* era el signo y el epítome del oficial gubernamental impecable, del buen servidor público.

Se levantó rápidamente, le extendió la mano a Elemaniel, y le ordenó, más que invitarlo, que se sentara, cosa que el hombre hizo sin chistar, como si el otro tuviese más rango y poder. No tendría más rango, pero poder obviamente sí, se dijo don Ele.

Don Ele conocía, de los pasillos de la Comandancia, la verdadera historia de *Jota*. Nacido en un barrio rural del pueblo de Las Marías, había sido abandonado por su padre al nacer, y su madre lo había dejado a cargo de la abuela y se había marchado a Nueva York, luego del "daño" que le había hecho el sargento del pueblo, sin siquiera amamantar a su hijo. Se contaba que era un hombre frío por demás desde que a los diez años su abuela le había obligado a besar el cadáver de su padre, al que nunca había visto hasta el día de su encuentro inicial y final, en la funeraria de Las Marías.

Esta leyenda, como muchas otras tejidas alrededor de su persona, tanto por la policía como por los delincuentes, hacía ver a Alejandro Méndez aún más inexpugnable ante las miradas de todos en la comandancia. Había estudiado administración comercial con notas más que sobresalientes en la Universidad de Puerto Rico, y en su cuarto año había sido reclutado para pertenecer al recién creado "FBI Jíbaro", en el año de 1962. Esa organización, fundada a instancias del Gobierno de los Estados Unidos, tendría en los años por venir la función de servir de "núcleo de contrainsurgencia" en la Isla, sirviendo a las prioridades hemisféricas de la administración del presidente de los Estados Unidos John F. Kennedy. Entrenados en una base militar de Quántico, en el estado de Virginia, estos jóvenes con grados universitarios servirían (creían entonces los poderes que son) para hacer el trabajo sucio a las agencias norteamericanas, que no deseaban envolver a sus agentes nacidos en el continente en la lucha que se avecinaba en América Latina entre las fuerzas de la Cuba revolucionaria y los Estados Unidos.

Jota se había destacado en los años sesenta en la persecución de los nacionalistas, socialistas, y otros independentistas y subversivos en Puerto Rico. Era el autor de los más complicados y efectivos planes para infiltrar, observar, intervenir, arrestar y amedrentar a todo aquel que desease la independencia. Su especialidad era echar a sus subalternos encima de cualquier mujer joven que, desprevenida, hubiese colocado una calcomanía con la bandera de la Isla en su automóvil. A ésas se las detenía en parajes solitarios de las carreteras, se las amenazaba sexualmente, y si no se podían convertir en informantes, se les hacía la vida imposible en adelante. *Jota* se preciaba de tener un "establo" de ellas a su disposición, cuando sus instintos sexuales le obligaban a dejar el trabajo por unas horas, y refugiarse en un motel con alguna. Era, en el cuartel, el macho de machos.

Sin embargo, esa privilegiada posición se había ido a pique a mediados de la década siguiente, cuando el presidente Jimmy Carter dio órdenes a sus servicios de inteligencia de desmantelar todos los grupos de contrainsurgencia de Estados Unidos en América Latina.

Jota perdió el ingreso adicional que depositaban religiosamente las agencias de inteligencia norteamericanas en el pequeño banco de su pueblo natal, y su nivel de vida sufrió un agrio y veloz deterioro. Acostumbrado a autos lujosos, trajes impecables, y hasta a un apartamento con su propio bote en la playa de Fajardo, Alejandro Méndez tuvo que hacer una decisión grave: optó por iniciar una carrera criminal, usando todo lo aprendido en los años al servicio de los Estados Unidos.

Se le hizo fácil. Un grupo de joyeros cubanos, que habían pertenecido a la policía de Fulgencio Batista en sus años en Cuba antes de la revolución de Fidel Castro, se dedicaban a financiar a los grupos anticastristas en Puerto Rico, y habían colaborado estrechamente con el grupo de contrainsurgencia en la persecución de los independentistas. Todos operaban fuera de la ley en el contrabando de diamantes y de oro, y Alejandro Méndez conocía en detalle sus actos ilegales, pero en los tiempos del cólera se le habían dado instrucciones específicas de "dejarlos quietos" por ser "firmes anticomunistas". Los Estados Unidos habían traicionado a sus propios aliados contra el comunismo (le dijo entonces a Alejandro su mejor amigo, el joyero Julito Poventud), y todos ellos "se pueden ir por la libre", y dedicarse a enriquecerse juntos.

Y así se hizo. El temido *Jota* se convirtió en asesino a sueldo de la camarilla de joyeros cubanos. Sus actividades, le decía una y otra vez su conciencia, se ciñeron a secuestrar y matar los joyeros de Nueva York que llegaban a la Isla a entregar los cargamentos, mayormente ilegales, de diamantes y oro. Esos cargamentos comenzaron a producir ingresos mucho mayores que los que había provisto la inteligencia norteamericana, y permitieron que Alejandro Méndez pudiese continuar sosteniendo su altísimo nivel de vida, a pesar de su muy limitado sueldo de Coronel de la Policía de Puerto Rico. Todo esto, por lo menos, era lo que se sabía en los corrillos del Cuartel General en Hato Rey, y don Ele sabía, muy pero que muy bien, ante quién se sentaba esa tarde.

"Nos ha resucitado un muerto" –le dijo en voz baja, entrecortada, temblorosa–. "O ha vuelto un espíritu", añadió.

"¿De qué carajos hablas?" –preguntó *Jota*, molesto–.

Don Ele le explicó el misterio de la muerte en Guano hacía cuarenta años y de la reaparición en las informaciones sobre Los Macheteros, del nombre del quemado. Esto no le gustaba nada, le dijo a su compañero, y como *Jota* sabía tanto de los asuntos de contrainsurgencia e inteligencia, le había venido a ver para saber si todo este asunto podía ser otro operativo de esos que los yanquis se empeñaban aún en realizar en Puerto Rico, luego que la tregua dictada por Jimmy Carter se había ido al carajo con la nueva guerra santa de Ronald Reagan en Nicaragua. Esa, dijo don Ele, era la ayuda que requería de Alejandro Méndez.

Jota se quedó sospechosamente impávido, y no dijo nada. Don Ele se sintió incómodo, prendió un cigarrillo, y nervioso, lo apagó de inmediato ante el hombre que ni fumaba ni bebía en su oficina. Esto no estaba saliendo bien. Don Ele había pensado antes de entrar que *Jota* sabía más de lo que diría, pero el silencio se hizo pesado, extraño. Alejandro Méndez, sin pestañear, volvió a sus papeles, firmó varios de ellos, y no volvió a levantar la vista hasta que Elemaniel Bermúdez, su superior en la policía de Puerto Rico, abandonó el lugar con el rabo entre las patas.

Mira QUÉ COJONES, PENSÓ Alejandro, y que venir a preguntarme a mí sobre actividades encubiertas de los Estados Unidos sobre la guerra con Cuba en Nicaragua. La batida del FBI contra Los Macheteros en esos días era obviamente una medida defensiva de los Estados Unidos para que Cuba no le abriese un segundo frente en Puerto Rico al que ellos le habían abierto a Cuba con los contras en Nicaragua. Era tan sencillo como eso. Pero él ya no era un oficial de la inteligencia norteamericana, sino un oficial local que, además, tenía negocios privados, y no se iba a poner a explicar nada.

El alacrán, se dijo, no se hiere con su propio rabo.

A pesar de haberse cerrado la puerta silenciosamente detrás del viejo policía Bermúdez, *Jota* no quiso contener las ganas de reír. Aunque preocupado en su interior, lo hizo para que su carcajada solitaria se escuchase, como en efecto lo logró, en los pasillos de la

Comandancia. Todos los que escuchasen los chismes de don Ele sabrían por esa risa que el macho de machos –*Jota*, de jodón– no le temía a nada, ni a los espíritus, ni siquiera a los muertos que vuelven de la tumba. Menos que nada, a los muertos.

6
El rabo del alacrán

Vicente Casellas miró por el ancho ventanal de su residencia veraniega, por encima de los cocoteros, hacia el mar. De pie en medio de los muebles de la amplia terraza, de espaldas a la mansión, con un vaso en la mano, se sentía feliz.

Si la cara es, en efecto, el espejo del alma, este hombre es la encarnación del mal. Una cabellera rala canosa se deja caer sobre una frente llena de arrugas que pueblan unas cejas arqueadas sobre ojos amarillos y achinados, y fijos. Unos lentes redondos hacen de los ojos unos círculos refulgentes y feroces. La nariz ancha y abierta descansa en medio de los pómulos gruesos y salientes. Pero es la boca y la comisura de los labios, en un rictus siempre tenso y carnoso, lo que le da a la faz un doble hálito de agresividad. Un descoloramiento de la piel le añade un aura de enfermedad. El cuerpo es alto y fornido, y aun en pantalón y camisa deportiva, protuberan músculos bien trabajados por el ejercicio constante. Este hombre es un guerrero.

Acababa de regresar, algo jadeante, de su juego de golf de la mañana en los hermosos terrenos del Hotel Dorado y se tomaba su "mint julep" favorito, antes de darse el baño caliente y de que llegase el masajista. El Dorado tenía una historia cómica, pensó. David Rockeffeller le había pedido a Luis Muñoz Marín, en sus años como gobernador, que le sugiriese un proyecto que ayudase a una región subdesarrollada de la Isla, y que perdiese dinero por unos años, como una cobija contributiva para una de sus múltiples empresas. Ironías del destino, el hotel recién construido había ganado dinero desde el primer día, al convertirse en refugio de grandes millonarios norteamericanos por su bucólico campo de golf. Años después, en los terrenos aledaños al hotel, la clase dominante boricua había construido lujosas residencias de verano y de fin de semana. La suya había sido una de las primeras, y aparecía ya en múltiples revistas sobre los dotados de fama y fortuna, como un homenaje al dinero y poder.

Estaba, como siempre, contento consigo mismo de lo mucho que había mejorado su juego de golf desde que se había retirado de la corporación de relaciones públicas, y dejaba que su mente se regodease en la vista hermosísima desde lo más alto de Dorado Estates, donde ubicaba la casona moderna que le había costado un millón de dólares (en efectivo, recordó, son una sonrisa de orgullo). La belleza del paisaje bañaba sus ojos y su mente.

Había llegado muy pero que muy lejos, desde los días aciagos de su nacimiento en Fajardo, el muy vituperado hijo ilegítimo del zapatero ciego del pueblo. Pero había tomado la decisión clave el día en que lo reclutó como informante en su escuela –ganándose unos pesos– un agente policiaco de plantón de nombre Alejandro Méndez, que cuidaba su barrio y su escuela para las fuerzas del orden de Luis Muñoz Marín contra el Partido Nacionalista.

Hoy, casi sesenta años después, todos aún creían que era un buen independentista, que contribuía cuantiosamente a las arcas del único partido que defendía esa opción. No pudo menos que reír por lo bajo, y regodearse en un amplio sillón ante el ventanal, protegido del calor del mediodía por un aire acondicionado a todo dar, como había ordenado que estuviese, siempre, a toda hora.

Cuando comenzaba a rememorar esa historia de éxito tan privada que le gustaba traer a su memoria, fue interrumpido por su ayudante, que traía de su estudio una hoja de la máquina de fax, marcada urgente. "Urgente de Jota –leyó– Julián Belinger, un profesor residente en Nueva York que enseña en Hunter college desde los años sesenta, regresó hace una semana a Puerto Rico e investiga, dizque con propósitos académicos, la muerte de Miguel García, ocurrida hace cincuenta años. Siguiéndolo, comprobamos que logró entrevistarse con Violeta Rodríguez Toledo, la viuda del muerto, pero no sabemos el contenido de la conversación. La prensa del país informó hace cinco días que los federales sospechan que Miguel García está vivo, y es "el Gato", el jefe aún no arrestado, de Los Macheteros. Ele está muy preocupado con el asunto, pues como usted sabe, el delito de asesinato no prescribe bajo el código Penal de Puerto Rico. Hay que ver si conviene, dado este nuevo desarrollo, el nombramiento por el gobernador de Bermúdez como superintendente, que ya habíamos acordado. Usted dirá." Julián nunca supo de esta nota.

Era raro de Alejandro, pensó Casellas, descuidarse y enviar una nota como aquella mediante facsímil telefónico, cuya transmisión podía estar intervenida sabe Dios por quiénes. O estaba muy consternado, o la distancia entre San Juan y Dorado era demasiada para la urgencia del asunto. O lo había hecho con toda intención, para regar entre los que interceptasen el mensaje, la versión de que Elemaniel Bermúdez era el asesino de Miguel García, con el propósito de desbancarlo, y aspirar él mismo a la Superintendencia de la Policía. De todas maneras, pidió al conserje su teléfono celular, y marcó el número privado de Alejandro. Oyó su voz responder con un mero "hola" al otro lado, y dijo solamente: "Así que los muertos resucitan. Ven inmediatamente". No tuvo que decir nada más. Después de tantos años de conspiraciones exitosas, Vicente y Alejandro casi se leían el pensamiento a la distancia.

Juntos, embromaban estos dos hombres a veces, eran como la cabeza de una hidra: mientras más se cortasen sus partes, más se multiplicaban. En una hora estarían juntos una vez más.

Mientras llegaba su aliado de toda la vida, Vicente volvió a rumiar sobre la suya, no sin antes cancelar la visita del masajista, para garantizar que estaría totalmente solo. Y casi vivió, como había hecho tantas veces antes, esa carrera exitosa.

Era doloroso el recuerdo de su padre, en la casucha de lata y cartón, jorobado y ciego, remendando suelas día y noche, sin pagarle su educación. Fue providencial el día en que aquel cliente de su padre, el guardia de la esquina, lo invitó a un aparte y le ofreció unos pesos por la información que pudiese dar de los clientes independentistas de su padre. Ello inclusive lo movió a presentarse de voluntario en las tarimas de los mítines pipiolos y ofrecerse para colgar las guirnaldas de bombillas, y vigilar el equipo electrónico de amplificadores. Así se ganó la confianza del liderato independentista de su pueblo, y cuando se graduó de escuela superior, era ya el encargado de la organización de todos los mítines de su distrito, y, por ende, uno de los más efectivos informantes de la Policía de Puerto Rico.

Vicente ahorró muy cuidadosamente los dineros obtenidos y con ellos pudo irse hasta Río Piedras, a la Universidad, donde su conocimiento en el manejo de sistemas de sonido lo llevó a un empleo estudiantil en el Teatro, uno de los emporios de subversivos e independentistas en el recinto. Allí conoció a otro estudiante que luego de graduado se dedicó a la contratación de artistas para la recién llegada televisión, y ambos iniciaron una carrera como promotores en el nuevo medio. En unos años, los socios habían logrado una posición acomodada en la capital, y, en otros pocos, ya serían millonarios, y personas de enorme influencia política, dado su control de la televisión en la Isla.

Los años de la década de los cincuenta habían sido muy activos para los perseguidores, abiertos o encubiertos, del independentismo. Los Estados Unidos se habían empeñado en crear la semblanza de una libre determinación en la Isla, y el único movimiento que exigía más de lo que estaban dispuestos a conceder era el nuevo Partido Independentistas y el militante Partido Nacionalista.

Al final de la década el independentismo se había dividido entre los tradicionalistas democráticos y los nuevos admiradores de la revolución de Fidel Castro en Cuba. La adopción por Cuba de la ideología comunista había desatado un activismo inusitado de las agencias de inteligencia de varios países en Puerto Rico. Vicente estaba eminentemente cualificado para aprovecharse de la situación, y se activó de inmediato como controlador de los medios de comunicación. Ese había sido su golpe de suerte.

En una reunión en el nuevo *Banker's Club* de Hato Rey había sido presentado por una pareja de norteamericanos a un grupo selecto de exiliados cubanos que fundaron, allí mismo, un cabal de "Defensores de la Democracia". Los exiliados eran empresarios destacados en su isla de adopción, y se les hizo fácil siempre disfrazar sus reuniones con Vicente como reuniones de negocios, aunque algunos de los que los vieron tantas veces jugando a la generala en la barra del Club se preguntaron cómo un hombre que se conocía como independentista desde su niñez pudiese estar tanto tiempo en la compañía de anti-independentistas virulentos. Sin embargo, siendo tan pocos los que tenían acceso a esos lugares de reunión, y los negocios siendo los negocios, todos los observadores extrañados se cruzaron de brazos y se olvidaron pronto de sus dudas. Vicente Casellas pudo actuar siempre con total impunidad, y en el mayor de los secretos.

La pandilla de "Defensores de la Democracia" se había inaugurado unas semanas después con un dramático atentado contra el líder del Partido Independentista, en el cual una lluvia de balas blindadas disparadas desde la calle entró por tres de las paredes de cartón de sus cuarteles, y se fue a alojar, muy apropiadamente, en el marco de un retrato de Pedro Albizu Campos. Los perpetradores habían sido militantes anticastristas traídos desde Miami y embarcados de vuelta la misma noche, pagados en un depósito en un banco de Bahamas, e ignorantes de quiénes eran sus contratantes.

Sin embargo, el fracasado atentado estrechó para siempre el lazo de unión entre los cinco o seis planificadores del hecho, dos norteamericanos, dos exiliados cubanos y el empresario boricua. Luego, mucho después, el presidente de Estados Unidos Jimmy Carter desmanteló todo el aparato contrainsurgente, pero la pandilla continuó, como si nada, en su tarea ahora autoimpuesta, de proteger la democracia en la Isla. Los contactos de entonces se convirtieron con el correr del tiempo en contactos comerciales y empresariales, y, apoyándose unos a otros, los miembros de la camarilla progresaron, todos juntos y al unísono.

Vicente aspiró a más. Se hizo miembro por derecho propio del *Banker's Club*, y convirtió en rutina su almuerzo en el lugar, lo que lo llevó a conocer a toda la élite financiera y política de la Isla. En uno de esos almuerzos se ofreció como voluntario en la campaña de medios de uno de los candidatos a gobernador, y fue aceptado. De ahí a convertirse en un factotum en la campaña fue solo un paso. Y, a la vez, de ahí a convertirse en el confidente principal del gobernador Rafael Romero, tomó solamente unos años. El gobernador no convocaba una conferencia de prensa, no colocaba un anuncio en la radio, no filmaba una cuña de televisión, sin que Vicente escribiese el texto, le ajustase el nudo de la corbata, supervisase la grabación, y evaluase luego el resultado. Ese contacto, por supuesto, aumentó aún más sus millones.

Hubo un segundo día muy importante en su vida. Llamado a La Fortaleza a altas horas de la noche, se encontró en las habitaciones privadas del gobernador con éste y con un altísimo y fornido norteamericano, cuyo nombre nadie le dijo. El gobernador le pidió que, por ser su hombre de confianza, le sirviese de anfitrión a este importante visitante, y que, inclusive, le hospedase en su hogar, que entonces era una relativamente modesta mansión en Alturas de Garden Hills. Desde ese día, Vicente se había hecho íntimo amigo de Bill Roman, un agente de la inteligencia norteamericana en el Caribe.

Junto a Roman, en múltiples horas de trabajo arduo, Vicente había diseñado un "Plan de Contrainsurgencia" para Puerto Rico, y se había ocupado de vendérselo a un grupo íntimo de miembros del Gabinete del gobernador. Más de una vez se preguntó Vicente si su efectivísima labor como informante de la policía en sus años mozos había determinado la escogencia del gobernador para encomendarle tan delicado asunto, pero nunca, absolutamente nunca, sucumbió a la tentación de preguntarle a Roman si sabía lo que presumiblemente tenía que saber. La confianza era suficiente.

La cosa fue bien, en términos generales, hasta que unos idiotas policías no cumplieron sus órdenes estrictas y fallaron en asesinar a un grupo de subversivos en uno de los barrios de la capital, dejando vivo tanto al confidente del grupo como a uno de los testigos del tiroteo, en que murieron tres jóvenes revolucionarios, que se decía eran miembros de Los Macheteros. La cosa empezó a aflojarse, y el escándalo causado por la prensa sobre el "asesinato", le creó problemas con el gobernador, que le dijo, de salida, "no quiero saber nada sobre tu trabajo". Los miembros del Gabinete empezaron a darle de codo en las reuniones, y a alejarse de su mesa en el *Banker's Club*.

El evento le obligó a retirarse de la sociedad con su amigo el empresario, a comprar y retirarse en una mansión en Dorado Estates, y a dedicarse exclusivamente a mejorar su juego de golf, con la esperanza de competir alguna vez como un profesional. Sus contactos, sin embargo, con la policía y con el mundo secreto e insondable de la inteligencia norteamericana en Puerto Rico, sobrevivieron siempre, y, más de una vez, le fue requerida una que otra cosa, que sin llegar de nuevo al asesinato, colocase a las fuerzas subversivas, revolucionarias e independentistas en posiciones difíciles, comprometedoras, y hasta críticas. Siempre lo hizo con gusto, en silencio, y con efectividad.

Mientras pensaba en ello, sonreído, una modorra cómoda se apoderó de sus miembros, y se vio, como tantas otras veces, en aquel vecindario en que buscaba, desesperadamente, su automóvil. Era una calle como tantas en los barrios de la Isla, con un monte a sus espaldas, un camino empedrado de frente, un cafetín iluminado a la derecha, y una calle con gran tránsito al final del camino empedrado, donde estaba estacionado su auto. Tenía, sabía, que caminar solo hasta la avenida, pero sabía también que en el cafetín le esperaban peligros insondables. La gente, la gentuza, los títeres, atentarían contra él, y no llegaría nunca hasta su Mercedes Benz con todos los hierros, que sabía había dejado estacionado en la avenida. Era de noche, el peligro acechaba en cada esquina, no podía fiarse de nadie. Alguien se le acercaría, alguien le pediría algo, alguien trataría de meterle mano a sus bolsillos, alguien en fin, lo amenazaría. Y él, como tantas otras veces, no sabía si tendría el valor de enfrentarse a la amenaza, si pelearía o correría o trataría de convencer a sus atacantes de que no le hicieran daño, que le dejaran pasar, diciéndoles que él había sido, que era en realidad, uno de ellos.

Lo despertó su propio ronquido estentóreo, con un sudor frío corriéndole por las sienes. El sueño, el sueño de siempre, el maldito sueño, cuando mejor se sentía, cuando mejor estaba, cuando tan seguro sabía estar, pero le invadía la ansiedad vieja, la ansiedad dejada atrás, creía él, mientras estuviese despierto. Por eso eran largas sus noches de insomnio, por eso veía la televisión hasta que el sol comenzaba a pintar de naranja el tope de las palmeras. No había descanso. No había redención. Si no hubiese que dormir, sí que hubiese sido feliz.

La voz de Alejandro en la puerta de la terraza lo hizo incorporarse, y caminó con una sonrisa forzada hacia su amigo. Algo se traía Jota que era de gran importancia. Una nueva amenaza debía cernirse sobre sus cabezas. Habría que atenderlo.

Se dieron los saludos con el abrazo de rigor, la oferta de un trago, y ambos se arrellanaron en sendos sillones de la terraza refrigerada. La conversación fue, como siempre entre ellos, tranquila y cautelosa. La esencia del mensaje de Alejandro fue que no podían correrse el riesgo de que don Elemaniel se pusiese demasiado nervioso, y, menos aún, que, por causa de un evento ocurrido hace medio siglo, se viniese abajo el plan de controlar la Policía de Puerto Rico. Ello sería a través de don Ele, que ambos sabían les sería fiel hasta la muerte, no importando quién fuese o qué ordenase el gobernador de Puerto Rico. Vicente se tranquilizó, y estuvo de acuerdo de inmediato. Sonriendo, le contó una historia importantísima a su amigo:

"Dicen que el día en que murió el che Guevara en Bolivia, Fidel Castro mandó a buscar al resto de su grupo revolucionario, y que fue, inclusive, a recibirlos al aeropuerto de La Habana. Al momento de bajar Inti Pinedo, Manuel Piñeiro, el Jefe de la Seguridad del Estado, le indicó a Fidel que el Che era en efecto un gato de siete vidas, pues aunque él hubiese muerto, aquí volvían vivitos sus discípulos. Fidel asintió, pero Piñeiro pasó a darle conocimiento de que supuestamente Pinedo traía unas diez páginas del diario del Che que eran críticas hacia Fidel Castro. Sin pestañear, cuentan que dijo Fidel entonces: "Pues sí que tenía siete vidas ese gato del Che, y, de ser así, ésta tendrá que ser la séptima muerte del Che". ¿O tendría una séptima vida? –dijo–.

"Te hago este cuento, Alejandro, –añadió sonreído Vicente– porque aquí se aplica el mismo precepto. Si Miguel García murió en Guano en 1948, santo y bueno. Si no murió entonces, va a tener que morir ahora, para salvarle la cabeza y su reputación a Elemaniel Bermúdez. Estamos demasiado adelantados en nuestro proyecto para dejar que una cosa como ésta lo descarrile. Pon manos a la obra, y déjame saber cómo andan las cosas, cuando suceda lo que tenga que suceder. Apresúrate, porque creo que el Zanano renuncia en unos días, y el gobernador tendrá que nombrar de inmediato. Queremos a don Ele tranquilo y listo para asumir el puesto tan pronto se cree la vacante. A trabajar, compadre."

Alejandro dijo una sola cosa: "Yo me ocuparé del asunto, personalmente". Vicente sonrió, sabiendo lo que eso quería decir. Eran muchos los muertos que debían su abandono de este mundo a la mano ágil y eficiente de Alejandro Méndez. Ninguno de la docena de difuntos había, hasta el momento, dado indicio de volver de la tumba. Vicente y Alejandro, juntos, eran como el rabo del alacrán con su ponzoña. Una picada bastaba. Y, como el alacrán, su determinación de emponzoñar era su seguridad.

Se pusieron de pie, se dieron un apretón de manos, y Alejandro se dirigió a la salida por la misma puerta por la que había llegado. Esta vez Vicente se dirigió a la barra donde había servido los tragos, y apagó el interruptor de la grabadora, que había estado funcionando con todo silencio todo el tiempo que duró la conversación. Con gesto rápido, se echó al bolsillo el minúsculo casete de la grabadora que iría a parar, como tantos otros, a su caja fuerte en un lugar muy secreto de la mansión. "Uno nunca sabe –dijo en voz alta a nadie– ni siquiera con los amigos de toda la vida."

Una vez realizada la tarea, se sirvió otro trago, y oteó confiado por encima de las palmeras una vez más; la límpida superficie del brillante y hermoso océano Atlántico.

7
El escribano neorriqueño

Julián Berlinger era un elitista. El que lo viera, en los últimos años del siglo veinte, hubiese pensado que era de extracción europea, con su siempre planchado gabán azul marino, su camisa de rayas grises, su corbata de regimiento, su pantalón siempre gris oscuro, y sus también siempre relucientes zapatos, engabanado aun en los más calurosos mediodías de Puerto Rico.

Tenía además, cara de búho, con su pelo aplastado de brillantina, sus espejuelos redondos, su mirada torva y esquiva. Guiaba un lujoso BMW de alquiler, con aire acondicionado a todo dar, y cargaba siempre con un maletín de cuero carísimo, con sus iniciales JB impresas en oro sobre la cubierta. Así le conoció en el balcón de su hogar la mujer de Miguel García, y quizás por eso mismo, le recibió sin mucha gentileza.

Las sesiones fueron a principio tensas, pero, a medida que se fueron haciendo rutinarias, después de la misa dos veces en semana, la entrevistada fue bordando la vida de su marido con amor y destreza inigualables. No sin antes, para su tranquilidad emocional, haber interrogado a su interrogador sobre su vida y milagros, cosa que aceptó Julián sin ambajes, en aras de ganarse el respeto y la amistad de la extraña y solitaria anciana, que cada día compartía con él vivencias, de uno y otro lado.

Julián le contó cómo había nacido en Guano, el hijo único del poderosísimo senador don Juan Berlinger y Acosta. Y le explicó, además, desde el principio, que era profesor visitante de la Universidad de Yale, en New Haven, en Estados Unidos, y director del Departamento de Estudios Latinoamericanos y Caribeños de Hunter College, en la ciudad de Nueva York.

Confesó cómo desde sus años de estudiante, en la escuela preparatoria Groton, se le había preparado para una carrera académica de primera, habiendo estudiado sus años de universidad en la prestigiosísima Harvard. Le dijo, sí, que su investigación de la muerte de aquél día aciago en Guano se refería a sus raíces en Puerto Rico, abandonadas desde su salida de la Isla a estudiar escuela superior, pero no le dijo cómo era que había llegado a la conclusión, al frisar ya los cincuenta años, de que era hora de regresar a la Isla a buscar precisamente esa raíz abandonada.

El hecho tenía una explicación que debía permanecer, por el momento, secreta. La responsable era su hija.

Asfixiado por el calor y el provincialismo de Guano, que no correspondía con los refinados gustos afrancesados de su hogar, Julián había escapado a Estados Unidos en sus días de estudiante de escuela superior, pero había escapado, además, de todo lo que oliese a puertorriqueño. Había negado, más de una vez, su origen, había perfeccionado un inglés sin acento que le permitía esconderlo, y se había inmerso en la vida y la cultura norteamericana al extremo de no regresar a la Isla en décadas.

La comunidad puertorriqueña en los Estados Unidos era enorme. En los años cincuenta y sesenta cientos de miles de boricuas escaparon de la miseria y de la persecución política hacia las ciudades del noreste, como Nueva York. Allí, los boricuas habían sufrido por décadas la peor de las discriminaciones, y, a fin de siglo, eran aún los más abajo en el tótem de poder de inmigrantes en Estados Unidos. Habían, sin embargo, luchado con uñas y dientes y corazón para preservar su nacionalidad. Llamados "neorriqueños" por sus compatriotas de la Isla, los habitantes en Nueva York y sus descendientes eran ejemplo de supervivencia. Julián nunca quiso saber de ellos, y, aun cuando tenía en sus clases decenas de ellos cada año, se mantuvo alejado. Su compañía era siempre la de las altas esferas de la sociedad de New Haven.

Julián se había casado, en su afán de olvidarse de la Isla, con una mujer irlandesa que había conocido en Harvard, que estudiaba y luego practicó la profesión de abogada en Nueva York. Ambos habían criado a sus dos hijas con un total desconocimiento de la Isla en que había nacido su padre. En la década de los setenta –después que Alex Hailey había cometido la indiscreción de poner a todos los norteamericanos no anglosajones a buscar sus raíces– Virginia Berlinger McCloskey, que no tenía razón para hacerlo, le pidió a su padre que le permitiese aprender español e inscribirse en el Instituto de Estudios Puertorriqueños que se inauguraba –impulsado por neorriqueños– en su Universidad.

De ahí en adelante, todo fue un problema. La niña, por razones que sus padres aún no comprendían, se empeñó en ser más puertorriqueña que nadie en Nueva York. El día en que la cosa se puso de verdad grave fue el día en que llegó a casa con un libro de un tal César Andréu Iglesias, comunista por más señas, titulado *Los Derrotados*. Le pidió a su padre, perentoriamente, que le explicase lo ocurrido en la novela, ya que era su asignación para el día siguiente. Julián tuvo que confesar, muy a su pesar, que no sabía nada de lo que trataba la novela. Atónita, su hija lo miró fijamente, por un fugaz momento, y, mientras corría hacia la puerta que tiró con un portazo, le gritó: "¡Te debía dar vergüenza!" Virginia se ausentó de su hogar por muchos días.

Unos días después, a su regreso, sin intercambiar palabra sobre lo ocurrido, Julián no pudo menos que pedirle su copia de la novela a Virginia. Ella accedió en silencio.

Desde ese día, se zambulló, después de viejo, en el estudio de Puerto Rico, el país que había abandonado espiritualmente hacía muchos, pero que muchos años. Leyó, desesperadamente, todo lo que consiguió en las bibliotecas y librerías de Nueva York sobre la isla de su nacimiento. Poco a poco, durante muchos meses, las capas protectoras fueron cayendo, y sintió surgir desde lo hondo de su espíritu un nuevo saber. Aprendió mucho. Comenzó a admirar a su pueblo de sobrevivientes. En todos esos meses, le acudió, cada noche, la misma pesadilla. El calcinado de su infancia, y el asesinado de la huelga de 1948, se le presentaban en todo su horror, uno envuelto en llamas, el otro en sangre, llamándole. No valieron píldoras de dormir ni tranquilizantes. Tenía que ir al encuentro de los muertos.

Y por eso, Julián Berlinger volvía ahora a Puerto Rico, a desentrañar los misterios de su infancia en Guano.

Los Derrotados había marcado su vida por una sola razón. No podía creer que la visión de su propia gente fuese tan pesimista, tan terrible: que la novela fuese en efecto, una profecía autorrealizable. Pero su propia negación le indicaba que sí era posible, que quizás era ya muy tarde para rescatar una nacionalidad que habían abandonado sus hombre y mujeres. Le invadió, desde ese día, un sentido de culpa galopante.

Mientras leía, a hurtadillas, de un tirón, en una noche de lluvia y truenos ante los ventanales de su apartamento en Nueva York, Julián se estremecía una y otra vez con el relato. El protagonista Marcos Vega se le antojó el antípoda de su propia vida. Aquel joven empeñado en "participar en algo grande", decidido a "despertar la conciencia adormecida del pueblo", empeñado en el "nacionalismo", era todo lo que Julián había desdeñado y abandonado desde su infancia. Y era todo lo que habían preservado los cientos de miles de sus compatriotas en la misma ciudad en que vivía. Esa noche comprendió que se había dado la espalda a sí mismo, a su pueblo, a su nacionalidad, que existía.

"La hora del sacrificio" de unos pocos en aras de "un pueblo entregao" ante la persecución continua y decidida de los detectives y el rol nefasto de los soplones, le pareció un mundo totalmente ajeno, pero electrizante. La determinación de que había llegado "la hora de matar" contra aquellos "que merecen morir" le sonó, en las primeras páginas del texto, una locura.

Según se fue internando en el texto, esa visión se fue apocando, y una indignación leve, paulatina, le fue subiendo hasta la sienes. Se dio cuenta de que él también era uno de los tantos acusados por césar Andréu Iglesias al sentenciar: "Así se racionalizan todas las pequeñas cobardías que suman la gran cobardía colectiva". Esa pavorosa sentencia resucitó en él una nacionalidad que creía muerta.

"Los elegidos", le dijo el texto, eran los nacionalistas, para lograr "el descubrimiento de la nación puertorriqueña". Julián no sabía, esa noche de la intensa lectura, si esa nación existía o no. No sabía siquiera si él, como persona, pertenecía o no a esa nación. Pero esa noche le despertó el comando de ir a la Isla, regresar al país natal, buscar, en su pasado, el propio y el colectivo, algún hilo conductor, y se inventó una razón académica que le permitiese iniciar esa búsqueda, revivir.

Esa noche de lectura determinó su visita a Puerto Rico.

El momento de actuar, "el valor suicida" de los protagonistas de la novela le movió a tomar su propia decisión, por supuesto mucho menos decisiva, pero no menos importante, por supuesto –pensó–. El fracaso del atentado en la novela, se dijo, era obviamente un símbolo de un fracaso mucho mayor, de una derrota mucho mayor. Y el patético recurso final del autor de una unión de obreros y nacionalistas en la cárcel, esa esperanza tan fallida, le pareció aún más triste. Marcos Vega terminaba la novela en prisión pero con esperanza, con vista a las estrellas. Era, sin embargo, uno de "los derrotados".

Pero, por otro lado, se dijo, existía la posibilidad de que el autor hubiese culpado a las víctimas. Podría haber otras explicaciones de lo ocurrido en los años cincuenta. Explicaciones que lo estuviesen esperando en Puerto Rico.

Su apetito intelectual, su apetito académico, eran más importantes que ese revolcón de conciencia puertorriqueñista –se había dicho una y otra vez– aun en el avión de camino a San Juan. La viuda de Miguel García le había arrebatado esa racionalización. La situación, la de conciencia propia, era grave y se hacía más grave cada día de reunión. La mujer y sus historias derrumbaban, de día en día, las capas protectoras de tantos años de americanización, y sacaban, poco a poco a la luz de la conciencia, las grandes afirmaciones del ser. El misterio del cuerpo calcinado era ahora el misterio de todo su pueblo, del pueblo de Puerto Rico. Esta vez sin embargo, luego de una semana desde la última reunión, la casa estaba cerrada y las vecinas le informaron que Violeta había desaparecido, sin dejar rastro.

8
Los muertos mandan

El *Banker's Club* del Viejo San Juan lucía ya sobriamente decadente en los últimos años del siglo XX.

Había sido construido en el *penthouse* del Banco Popular, la imponente mole que se había instalado, a principios de siglo, justo al frente de la Plaza de la Dársena, el punto de entrada marítimo de antaño a la capital de Puerto Rico. Sin embargo, a fines de los sesenta, el banco había construido otra mole moderna de cemento y cristal, en la Milla de Oro en Hato Rey, el nuevo centro bancario producto del "milagro económico" de la Isla.

Los jóvenes banqueros, ejecutivos y tutumpotes de la economía se habían mudado todos, abandonando el congestionado e histórico casco de la isleta-capital, y calificaban, en medio de risas, a los pocos que aún utilizaban para almorzar el club en la sede bancaria de la vieja ciudad, como "las momias".

En el viejo edificio, un ascensor de cristales y aluminio subía a los afortunados hasta el último piso, y el visitante entraba en un salón de grandes ventanales, con vista a tres lados de la isleta-capital. El sol a veces molestaba a los comensales, pero como nadie más en la ciudad podía apreciar la vista que desde allí se divisaba (aun el aledaño edificio de los Estados Unidos era varios pisos más bajo), nadie protestaba, concientes del privilegio que acarreaba poder gozar, *highball* en mano, del derroche de azul, verde, y marrón que el cielo, el mar, y las azoteas circundantes ofrecían a los sonreídos de la fortuna.

Pisos de mármol rojizo impecablemente pulidos, columnas de ónix, mesas también impecablemente vestidas de blanco, cubiertos de fina plata, vasos de bacarat, eran todas las amenidades cuidadas por un grupo de tres o cuatro mozos, ancianos ya todos, que habían servido allí desde los años de Maricastaña, y a quienes, como es de esperarse, los comensales consuetudinarios llamaban por sus primeros nombres: Toño, Pedro y Saúl. Estos hombres habían oído mucho, y sabían mucho.

En aquel sagrado recinto, se rumoraba entre los más jóvenes empresarios de Hato Rey, era donde realmente se negociaban los más grandes acuerdos económicos de la Isla, y no pocas de las más importantes estrategias políticas. Allí se aparecía, de cuando en vez, el mismísimo gobernador de Puerto Rico cuando deseaba reunirse en relativa privacidad (con el avieso propósito, sin embargo, de que lo supiesen los que tenían que saberlo) con la viejísima élite económica de la Isla. Eso lo admitían "los advenedizos" de Hato Rey, pero, sin embargo, con desdén, pues creían, los muy ilusos, que el nuevo poder era de ellos.

Germán Quintana se había mantenido fiel, y como media docena de otros, almorzaba diariamente en su mesa de esquina, con una hermosísima vista de la bahía. Esa media docena estaba compuesta del presidente de la mayor cadena de supermercados, un veteranísimo oficial de gobierno que había sobrevivido todas las administraciones, el administrador de un poderoso fideicomiso familiar, y dos o tres abogados corporativos que, con igual tozudez, se habían negado a mudar sus oficinas a Hato Rey.

Una mañana de abril de los noventa, don Germán (todos le decían "Don" al único accionista de la más poderosa compañía de seguros de la Isla) recibió una llamada intempestiva a su oficina en la que Vicente Casellas, retirado hacía años en Dorado, se invitaba él mismo a acompañarlo ese día en su mesa. Don Germán no dijo que no, más por aburrimiento que otra cosa, pues no veía con buenos ojos al empresario que era un nuevo rico advenedizo que se conocía como "zapatos blancos" desde el día que usó tan impropio atavío para acudir a un almuerzo en el *Banker's* de San Juan. Y peor aún, era independentista.

Don Germán, debe saberse, era un anexionista rabioso, que no permitía ni una sola palabra de queja o desdén contra los Estados Unidos de América, nunca. Ni en su mesa, ni en las vecinas.

Solo en su esquina, a la que no se acercaba nadie a menos que él mismo, con ademán imperioso de su mano así lo requiriese, don Germán meditaba ese mediodía, libando su trago favorito, sobre los avatares que habían hecho de los Quintana una de las pocas familias que en la Isla podía retrotraer su estirpe hasta los primeros días de la colonización española, en 1510.

Si Casellas lo quería ver era porque necesitaba su acceso al gobernador para algún nombramiento, o requería de su alcurnia para algún evento benéfico, de esos que los aburrían a todos pero que entusiasmaban a sus agentes de relaciones públicas. Se sintió necesitado (por encima del desdén de los malditos *yuppies* de Hato Rey), y un *martini* y ese convencimiento, lo hicieron sentirse bien esa tarde. Rememoró un poco, en espera del invitado.

Elpidio Quintana, su antecesor más lejano en estas tierras, había llegado a Puerto Rico como sillero de Cristóbal de Sotomayor, uno de los nobles de Castilla que había colonizado la Isla junto a Juan Ponce de León. Don Germán no se había molestado en averiguar de cuál de las miles de villas castellanas había llegado Elpidio, pues prefería no saber, e inaugurar la estirpe acá, en las tierras de América.

Elpidio se había dedicado a la minería de oro, y luego que el mismo y los indios se acabaron, se convirtió en hatero y esclavista. Había sido, decían los documentos oficiales, uno de los más aguerridos guerreros contra los indios, y, a sangre y fuego, había dominado sus rebeliones. Luego de la "pacificación", había mandado a buscar a su dueña a España, y tuvo varios hijos y una sola hija, todos nacidos en Puerto Rico. A ellos les legó sus hatos ganaderos al morir a fin de siglo, y su hijo mayor fue incluso acompañante del nieto del mismísimo Juan Ponce de León.

A ella, a Victoria de los Ángeles Quintana y Bobadilla, le legó un interesante cartapacio con sus memorias, escritas con fina pluma de ganso en una abigarrada letra, con un mandato que sus sucesores familiares habían cumplido al pie de la letra hacía quinientos años. Como la estirpe era de conocida longevidad –alegó don Elpidio– sus hijos y los hijos de sus hijos y los de éstos a su vez, al cumplir los ochenta años debían añadir, en el imponente cartapacio de lujosísimo cuero, las memorias suyas, de manera de que pudiese guardarse íntegra la experiencia de los señores de Quintana en las tierras de América. Y así había sido.

De hecho, precisamente en esos meses, don Germán se había impuesto la obligación de incluir su propia memoria, la séptima vida, de las contadas por esa familia patriarcal de Puerto Rico.

La segunda vida, la de "Elpidito", como le llamaron, muy a su pesar, sus contemporáneos, había sido más tranquila que la de su padre y fundador de la estirpe. Junto a Ponce de León y a Antonio de Santa Clara, Elpidito había contribuido, siendo uno de los pocos en la Isla que sabía leer y escribir, a redactar una memoria oficial adscrita al capitán Juan de Melgarejo, gobernador de la Isla en 1582. En esa época, los Quintana eran una de las 170 familias que vivían en la Ciudad de Puerto Rico, en un estirón de barro al que le llamaban, con obvia metáfora, "la calle del Sol", a unos pasos de la pequeñísima Catedral que vigilaba la devoción de los que vivían en la entrada de la bahía de San Juan.

Elpidito no había tenido hijos varones de su primera esposa, pero tres de sus hijas habían sobrevivido las temidas viruelas y se habían convertido en hacendosas monjas cuando doña Ana de Lanzos, amiga de la familia, donó su propia casa vecina a la de los Quintana, para un convento de la Orden de las Carmelitas en 1645. Apresurado a garantizar la estirpe, apenas unos días después de morir en una de las epidemias su esposa, Elpidito escandalizó a la población de la ciudad al casarse, en la mismísima Catedral, con una mujer de tez blanquísima, pero con unas narices demasiado anchas y un pelo demasiado ensortijado para pasar inadvertidos.

Ella, viuda de un altísimo funcionario español del Perú, había quedado varada en San Juan camino de España por unos días, y Elpidito, ni corto ni perezoso, la atendió, la cortejó, y finalmente la atrapó, en unos pocos meses. Había más mujeres que hombres en San Juan en esos años, pero ninguna de la estirpe de haber sido esposa de casi un virrey. Nueve meses exactos después (demasiado exactos, decían las malas lenguas que por lo bajo le decían "la africana" a la doña) nació Juan Antonio Quintana de la Rosa, un primoroso bebé que llevaría a fruición la tercera vida de los Quintana en Puerto Rico.

A Juan Antonio lo recibió la realeza de San Juan como su contacto con el envidiable Perú, al que muchos se habían ido años antes, abandonado el lar nativo, en busca de fama y fortuna. Era como si en vez de ir a buscarlo, el codiciado Virreinato hubiese venido a la olvidada Isla. En vez de mejorar la cosa empeoró, pues en esa época llegaron a Puerto Rico tantos negros cimarrones libertos de las islas vecinas, que el gobernador dispuso que se les radicase en una colonia aparte, que se llamó Cangrejos. Junto a este evento, la Corona autorizó conceder patentes de corso a navegantes criollos que accediesen a defender a España atacando, en sus mares, a los interventores europeos de Inglaterra y Francia, lo que atrajo aún más gentes sin estirpe a Puerto Rico.

En San Juan, se destacó en esas tareas un mulato criollo antillano de nombre Miguel Henríquez, zapatero de profesión pero guerrero de fruición, que se distinguió a base de sus ataques contra naves enemigas en la patria líquida que era el Caribe. Casado Juan Antonio con una hermosa pelirroja venida de Castilla, la ciudad se sorprendió cuando le nació un primogénito de tez algo obscura, con narices anchas y labios carnosos. Los más generosos adjudicaron el fenómeno a un "requinto" (así se le llamaba entonces) de la abuela peruana, pero los más chismosos llegaron a alegar que doña Inés, la generosa pelirroja castellana, había encontrado consuelo en otros brazos que no eran los de Juan Antonio, y que el cuarto de los Quintana era hijo, verdaderamente, del afamado y rico corsario mulato Miguel Henríquez, rumor que cobró vuelo cuando su triste y reclusa madre escogió para el infante el inesperado nombre de Miguel Juan.

En 1713 se le había concedido a Miguel Henríquez el título de capitán de Mar y Guerra y Caballero de la Real Efigie. La razón para ello era que ante la crisis causada por la desidia de la Corona con su colonia, solamente los contrabandistas hacían buen negocio en la Isla. Dueño de veinticinco barcos, dueño de todas las tiendas en la ciudad, había tenido la osadía de retar a los Quintana estableciendo el más moderno ingenio azucarero a las orillas del río Bayamón. Eso no era todo. En su capacidad de prestamista, había subsidiado a Juan Antonio en sus momentos más difíciles, y, por esa razón, había tenido acceso irrestricto a la mansión de la calle Sol, inclusive en horas en que el patrón se encontraba inspeccionando sus haciendas del Toa. En 1735, cuando la envidia de los blancos llevó al embargo de sus bienes, las únicas visitas que recibió Miguel Henríquez en el convento de Santo Tomás fueron las de Inés Agramonte viuda de Quintana, madre del quinto de los dueños de Puerto Rico.

A Miguel Juan le tocó alterar completamente los negocios de la familia, pues durante su vida se legitimó el comercio con otros puertos antillanos, y ello llevó, a su vez, al florecimiento de la agricultura de exportación. Fue entonces, para 1765, cuando Miguel Juan fundó uno de los importantes ingenios azucareros de la Isla, en el valle del Toa, muy cerca de San Juan. En esos años compartió más de una vez con el hacendado Joaquín Power, el único hombre en la capital más rico que él, y quien tenía –decía toda la Isla de entonces– "la hacienda mejor montada" de Puerto Rico.

Luego que los Borbones se hicieron cargo del gobierno de España, se aprobó una ley que permitía a los hacendados azucareros traer mecánicos y otros trabajadores, siempre que fuesen católicos. Fue así como Miguel Juan reclutó en la Martinica y la Guadalupe a varias familias de corsos, entre los cuales vino Josefina María Antomattei, una niña hija de un experto operario, que con sus enormes ojos negros y sus sutiles labios rojos, incendió el corazón del delfín de los Quintana, y de cuyo matrimonio nació José Napoleón Quintana Antomattei, la cuarta vida de la familia eterna de Puerto Rico.

A José Napoleón le tocó, luego de regresar de sus estudios en Francia, heredar una de las pocas haciendas azucareras que habían sobrevivido, con éxito, a la competencia con el café como el principal producto de exportación del Puerto Rico de aquellos años. Su familia había tenido la previsión de no dejarse tentar por el nuevo cultivo en la altura, y, a partir de 1825, se convirtieron, gracias a desarrollos de la economía mundial que ellos atendían cuidadosamente, en uno de los más grandes productores y exportadores de azúcar en el mundo, segundos solamente a unos pocos productores de Cuba.

Gracias a una concesión de la Corona, habían llegado a Puerto Rico en esos mismos años varias familias irlandesas que le huían a la hambruna en sus predios, y, entre ellas, José Napoleón conoció a la hija de un médico irlandés Ronald McCarthy, con la que se casó y tuvo dos hijos y una hija. Cuando murió, a los noventa y pico de años, la hacienda "La Coqueta" pasó a manos de su hijo mayor, Patrick, nombrado así en honor al santo patrón de su madre.

La sexta vida de los Quintana se desenvolvió en tiempos muy terribles para Puerto Rico. Patrick José tuvo que dirigir los negocios azucareros de su estirpe, y cuando en 1898 invadieron la Isla los norteamericanos, la técnica que siempre distinguió a la familia (y su perfecto inglés) lo colocó de frente a los grandes emporios azucareros del Norte, que invadieron la Isla. De hecho, *Quintana Enterprises* (como pasó a llamarse el conglomerado de haciendas y centrales) fue la única firma que resistió durante todos los años finales del imperio español y los comienzos del imperio americano, y permaneció siempre en manos puertorriqueñas.

"Puertorriqueñas", en el caso de *Quintana Enterprises*, era un decir, pues era en realidad, como lo atestiguaban todas las memorias contenidas en el ya antiquísimo cartapacio de cuero, era un emporio español-criollo corso-irlandés. No podía esperarse, pues, que esa familia, en que solamente una cuarta parte de la sangre era mulata y caribeña, produjese otra cosa que una séptima vida anexionista, la vida de Germán Quintana McCarthy.

Nacido en 1910, Germán heredó, como hijo único, todos los bienes de la familia. En los años difíciles de los huracanes y terremotos, a la tierna edad de dieciocho años, visualizó que la industria del azúcar, aunque segura, no duraría toda la vida. Y tan pronto regresó del *Wharton School of Economics* en Pennsylvania con un grado académico, diversificó los capitales de la heredad, comenzando por convertir a *Quintana Enterprises* en su propia aseguradora, y luego fundando *Caribbean American Insurance Enterprises*, la muy exitosa compañía de seguros. Esa decisión resultaría ser la salvación de la familia cuando la industria de la caña en Puerto Rico fue asaltada con saña por la "morralla socialista" del Partido Popular Democrático y Luis Muñoz Marín, a partir de 1940.

Don Germán, por la razón antes dicha, había sido, desde que tuvo uso de razón, un "republicano" anexionista auténtico, como su padre, que había sido, inclusive, amigo íntimo de don José Celso Barbosa. En 1947, sin embargo, forzado por el Gobierno de los Estados Unidos y el inicio de la Guerra Fría, el popularismo había dado un viraje ideológico, acercándose al anexionismo. En ese momento, don Germán vio el cielo abierto, y se convirtió en uno de los asesores de Teodoro Moscoso, el líder de la nueva política populista. De hecho, un día, conocido como el de la noche larga, en una conversación privada muy de madrugada, había sido instrumental en convencer a Luis Muñoz Marín a que optase en contra de la independencia de Puerto Rico.

Al derrumbarse la hegemonía populista en 1968, en la misma capacidad, había sido uno de los más silenciosos pero efectivos contribuyentes del Partido Nuevo Progresista. Al día de hoy, era uno de los asesores principales, en asuntos económicos y financieros, del gobernador de Puerto Rico.

Perdido en sus meditaciones genealógicas, y lleno su vaso una y otra vez por el siempre atento Saúl, se había pasado don Germán una hora esperando por el idiota de Vicente Casellas, cuando lo sacó de sus divagaciones el tableteo ensordecedor de una motora, que subió hasta los pisos más altos e hizo trepidar los cristales de la ventana que tenía al frente. Despierto y encolerizado por la espera y la falta de respeto de esas juventudes que usaban tales máquinas infernales para su asueto, sin que el Gobierno supiese controlarlas, don Germán notó que Saúl se había asomado a la ventana, y había salido disparado hacia el ascensor, sin decir palabra. No había por qué levantarse a hacer averiguaciones, Saúl lo contaría todo.

Y así fue. Unos minutos después, el mozo favorito entró de nuevo al *Banker's Club* del Viejo San Juan con cara demudada, y tartamudeando, le notificó en voz baja a don Germán una infausta nueva. Al salir de su limosina en la plaza, y acercarse a las puertas del Banco Popular, Vicente Casellas había sido interceptado por una persona en motocicleta que le había vaciado todas las balas de una ametralladora Uzi en la cabeza. En efecto, un igualmente demudado don Germán, al acercarse a la ventana pudo ver desde el piso alto, en medio de la plazoleta, el cuerpo inmóvil de su frustrado comensal, rodeado ahora de policías, enfermeros y curiosos. Pero eso no era todo.

Contó Saúl que el motociclista veloz, que había desaparecido escudado en un casco de visera negra tan prontamente como había llegado, se había detenido solo unos segundos sobre el cadáver, para depositar una nota en una letra caligráfica hermosa, que leía solamente: "Mueran los traidores. Viva Puerto Rico Libre". Firmaba la nota "Miguel García, El Gato".

Don Germán Quintana McCarthy frunció el ceño, y, sin un solo pensamiento para su frustrado comensal, pidió otro trago. Saúl lo interpeló, pero el hombre no quiso ordenar su almuerzo. Un solo pensamiento le cruzó por la frente. Si volvían a resucitar los actos terroristas de la década anterior: ¿Llegaría él a poder escribir la sétima vida de los Quintana en Puerto Rico?

Saúl notó que su amo había perdido el apetito.

9
Washington en San Juan

El asesinato de Vicente Casellas repercutió esa misma tarde en los centros nerviosos de las agencias de inteligencia de los Estados Unidos de América.

Desde la Base de la Guardia Costanera de Estados Unidos, a unos pasos al sur del Banco Popular, al otro lado de la misma Plaza de la Dársena, se monitoreaban todas las comunicaciones telefónicas ocurridas en la Isla, y se transmitía directamente a Langley, Virginia, cualquier conversación o evento que mereciese atención inmediata. El que hubiese ocurrido un acto terrorista en las mismísimas narices de Washington en San Juan, merecía, por supuesto, atención muy urgente.

Los asuntos de Puerto Rico en Washington se tramitaban por varias agencias, pero todos los informes de importancia llegaban al fin y a la postre (a veces muy tardíamente) a las oficinas del Consejo de Seguridad Nacional en el *Old Executive Building*, aledaño a la Casa Blanca. En el cuarto piso de ese singular edificio, de una fealdad innombrable pero de un encanto singular, en la oficina de asuntos latinoamericanos, un funcionario de tercer nivel se ocupaba de mantener informados a sus superiores de los eventos de importancia acontecidos en la Isla.

Aquella misma tarde de abril a fines de los años noventa, Robert Cardon recibió un informe facsimilar de la Agencia Central de Inteligencia (CIA) con los primeros detalles de la muerte de Casellas. La muerte de un agente de inteligencia era siempre prioritaria en toda la maquinaria de los poderes que son en la capital de los Estados Unidos. Tratándose de un viejísimo *asset* (pues así se les llamaba a gente como el occiso), habiendo ocurrido frente a la Base de la Guardia Costanera, y habiendo reclamado su autoría un personaje que se daba por muerto hacía más de medio siglo, el asunto exigía la atención de Casa Blanca.

Robert Cardon era un joven de extracción italiana que se había recortado el apellido para distinguirlo del de un tío suyo que cumplía condena en una prisión federal por actos de corrupción mafiosa, el temido Alvaro Cardone, de New Jersey. Distanciándose de su familia, por su propio esfuerzo, había logrado varias becas en escuelas y universidades católicas como Notre Dame, y por sus indiscutibles méritos intelectuales había logrado ser nombrado ayudante de uno de los congresistas del estado de New Jersey. De allí había pasado, gracias a un matrimonio afortunado con la joven hija única de un ex-Secretario de Estado de Estados Unidos, a la Casa Blanca.

El joven funcionario hablaba un español impecable, obtenido en un par de años de servicio en los cuerpos de paz en la Nicaragua de Anastasio Somoza. En el recóndito villorrio de la costa donde cumplió sus tareas, había tenido como ocupación la asesoría agrícola, pero, como entretenimiento, la voraz lectura de cientos de textos literarios latinoamericanos. Era, en especial, un fanático de la poesía y de la novelística centroamericana y antillana, y su atención a la mentalidad latinoamericana se había acrecentado por ese medio. También durante esos dos años había desarrollado un conocimiento excepcional de los movimientos de izquierda latinoamericanos que se enfrentaban a monstruosidades como la dinastía de los Somoza.

Creía comprender. Por razón de esa destreza imprescindible y por la trascendencia del asunto, no podía dejarse en manos de los múltiples operativos en el *field* que habían convertido a Puerto Rico, de acuerdo a su evaluación, en la Casablanca del Caribe.

Robert Cardon no esperó siquiera unos minutos luego de leer el informe facsimilar, sino que llamó a la Base Andrews y ordenó un vuelo militar a la Base Muñiz en el Aeropuerto Luis Muñoz Marín en San Juan, el que tomó apenas luego de una hora.

La llegada a San Juan para los norteamericanos significa siempre un golpe térmico y cultural. Se nota, primero que nada, ese vaho de calor húmedo tropical tan distinto al calor seco de los Estados Unidos, que aparece tan pronto se atraviesan las puertas de los lugares de recepción refrigerados en el aeropuerto. Y en segundo lugar, se nota esa masa humana color marrón, sudorosa y gritona, que pulula por los alrededores del aeropuerto en espera de sus parientes. Son dos murallas entre el viajero norteamericano y la Isla. Bob se ahorró ambas cosas.

En la Base Muñiz esperaban a Robert el Jefe del Buró Federal de Investigaciones ("efebei" le decían los boricuas), el experimentado Robert Hammond, y su ayudante, el mexicoamericano William Pérez. No hubo mucha formalidad en el recibimiento, y los tres se metieron de inmediato, del área desierta y refrigerada en el Club de Oficiales a la igualmente refrigerada limosina sin marcas visibles, que salió disparada hacia el Edificio de los Estados Unidos en el Viejo San Juan.

Hammond y Pérez rindieron verbalmente el informe de lo que se sabía hasta ese momento. Tratándose de tan alto funcionario y sospechando que no tenía mucho conocimiento sobre la Isla, William se ocupó de hacerle una breve historia de los movimientos subversivos en Puerto Rico, desde su punto de vista, obviamente.

Después de la invasión de 1898 la gente se había quedado tranquila, y hasta contenta, no habiendo amago alguno de subversión. En 1909 había habido un amago de rebeldía política en la Asamblea Legislativa de la Isla, pero el Presidente de Estados Unidos lo había acallado prontamente y un Partido Independentista nacido en 1911 había durado solamente meses.

La cosa había comenzado en la década de los veinte. El Tribunal Supremo de los Estados Unidos había decidido en 1922 que la concesión de la ciudadanía norteamericana a los boricuas en 1917 no significaba la intención de encaminar a la Isla hacia la anexión como un estado más de la Unión, sino por el contrario, Puerto Rico seguiría en el limbo, como una posesión (era el eufemismo que los norteamericanos usaban para decirse que su democracia, a distinción de las europeas, no tenía colonias) gobernada por el Congreso de los Estados Unidos.

Esa decisión había terminado con la incertidumbre que había reinado por los primeros veinte años del siglo, cuando miles de ilusos llegaron a pensar que serían admitidos como norteamericanos iguales en la Unión. Inesperadamente para la élite norteamericana que gobernaba la Isla, los puertorriqueños reaccionaron, fundándose ese mismo año de 1922, en el Ateneo Puertorriqueño, el Partido Nacionalista.

Ese partido tenía el ideal de convertir a Puerto Rico en una nación independiente. Al crearse el Buró Federal de Investigaciones en Washington en 1935 una de sus primeras funciones fue investigar ese Partido Nacionalista. Los norteamericanos entendían como una reacción "ingrata" la decisión de que si no se encaminaba la Isla a la anexión había que encaminarla a la independencia, y el FBI recibió la encomienda específica de proteger el status colonial "a como dé lugar".

Precisamente, desde el inicio de su larga carrera en la jefatura del FBI, J. Edgar Hoover –señaló con orgullo William Pérez– había tenido como una de sus más decisivas motivaciones existenciales la destrucción del movimiento nacionalista, comunista, terrorista y subversivo en Puerto Rico, pues para él todo era la misma cosa, y había que erradicarlo para siempre.

A ese propósito, el Buró convenció al gobernador militar de la Isla de crear una división de Seguridad Interna de la Policía de Puerto Rico. Los jefes locales habían respondido con prontitud, y la división tendría la responsabilidad de levantar una "carpeta" y archivo de cada persona o entidad que favoreciese la independencia para la Isla. La labor de la división y sus informantes pagos (que fueron miles) logró un gran éxito, y para 1987 había en esas listas por lo menos 200,000 boricuas.

Apenas dos años después de creado el FBI, en el verano de 1936, ya se había logrado encausar al líder del nacionalismo Pedro Albizu Campos. A pesar de que un jurado de puertorriqueños se había negado a encontrarlo culpable de sedición, se había convocado un nuevo jurado compuesto de norteamericanos, que había logrado la convicción deseada. Sin embargo, cumplida su sentencia, Albizu había regresado a la Isla en 1948 y habían vuelto los dolores de cabeza para la oficina del DBI en San Juan.

Su liderato había inspirado una verdadera revolución en 1950 y un atentado al presidente de los Estados Unidos, Harry S. Truman, al igual que un ataque a tiros al Congreso de los Estados Unidos en 1954. La revolución de 1950 se había podido sofocar prontamente –explicó William– porque el Gobernador Luis Muñoz Marín ordenó el arresto inmediato de todos los que estaban en las listas de subversivos. El FBI, por supuesto, había tenido durante todos esos años acceso irrestricto, y casi único, a esos archivos, que se guardaban en el Cuartel General de la Policía.

La cosa se había calmado por unos años, pero volvió a reventar luego de la revolución cubana comunista en La Habana en la década de los sesenta. Como parte de su política de exportar la revolución a América Latina, Fidel Castro había convencido a un grupo disidente del Partido Independentista a fundar los Comandos Armados de Liberación (CAL), los que se habían dedicado a poner bombas en comercios, hoteles, y hasta en el concurso de Miss Universo, pero habían sido infiltrados hasta le médula y eran casi "controlados" por el mismo FBI.

Cuba –se quejó William al funcionario que sabía podía resolver la situación– había logrado dividir a las agencias norteamericanas en Puerto Rico. Tan pronto el FBI lograba infiltrar un grupo y hasta "controlarlo", si se detectaban contactos con agentes de Fidel Castro, la CIA reclamaba jurisdicción única y primaria, y dejaba a los "efebei" en la calle. Como si ello no fuese suficiente, la inteligencia militar norteamericana (la muy escurridiza y desconocida DIA) también reclamaba jurisdicción en todo lo que afectase sus doce bases e instalaciones militares en Puerto Rico. "En otras palabras, dijo William usando un término muy criollo, la cosa era "un crical"". A pesar de su muy enérgico planteamiento, William no logró alterar la muy enigmática expresión de Cardon.

Como tenía que comprender *Míster* Cardon –insistía Willie– con esa historia el Buró Federal de Investigaciones en San Juan estaba siempre alerta, y lo había estado en 1967, cuando casi logró causar la muerte del principal agente cubano en la Isla, usando los servicios de un grupo de jóvenes anexionistas en la Universidad que asaltaron la imprenta de los comunistas. Para ese año se había celebrado un plebiscito sobre la futura condición política de Puerto Rico, y J. Edgard Hoover mismo emitió instrucciones de "dividir y desestabilizar" al independentismo para desarticular esa opción. El operativo, llamado COINTELPRO había tenido un gran éxito, y el jefe de la oficina de San Juan había solicitado un ascenso luego de asegurar que era el responsable de haberle causado (mediante acusaciones anónimas de adulterio) un ataque al corazón al líder del independentismo. En 1973 habían logrado torcerle el brazo al gobernador de turno para que echase a la calle a la Guardia Nacional, estilo Somoza, para acabar con una huelga de líderes obreros independentistas, con gran éxito.

Cardon notó que no habló de la ocasión en que, mediante las revelaciones de un infiltrado, se había llevado a los clandestinos a una encerrona en la que, por ineptitud del infiltrado, habían muerto dos miembros de la Marina de Estados Unidos. Cardon sabía, cosa que no conocía su interlocutor, que ese evento había iniciado la verdadera crisis de confianza de Washington en sus operativos en San Juan, que, finalmente, le había traído a él a la Isla. Un agente encubierto norteamericano, descubierto y forzado por "Los Macheteros", había disparado y matado a dos marinos norteamericanos en Sabana Seca. Tremendo lío. Ello causó que el mismísimo Consejo de Seguridad Nacional pusiese a un nuevo Jefe del FBI en la Isla.

Richard Held había logrado el arresto sin una sola muerte de todo el liderato de la camarilla clandestina de los ochenta. El cambio de política norteamericano, hacía una década, había calmado los brotes de violencia. Hasta hacía apenas unas horas.

William Pérez terminó su breve reseña histórica con una queja: sin embargo, era patente que quedaban aún por ahí ratas sarnosas como el muy venteado *El Gato*, que parecía haber escapado del cerco, y que era (estaba ya seguro el FBI) el asesino de Vicente Casellas. El problema era –concluyó Willie antes de entrar en materia sobre los eventos recientes– que esta calaña de gente sobrevivía una y otra vez a todas las persecuciones: la de 1936, la de 1950, la de 1967, la de 1973, la de 1985. Algo había en los genes de esta gente puertorriqueña que hacía surgir una nueva floración de subversivos tan pronto se le cortaban las viejas ramas al árbol, que, aparentemente, tenía unas hondas raíces en el subconsciente de la gente de Puerto Rico.

Aparentemente, volvían a aparecer, como gatos de siete vidas, en 1995. "Pero claro, la función del FBI no es cosa política sino criminal", interrumpió en su primera intervención el americano Hammond, a lo que Cardon no pudo contener una muy leve pero significativa fruncida de ceño. El argumento era ya totalmente obsoleto, pensó. Hammond se hizo el desentendido, y procedió a analizar la información y evidencia obtenida hasta ese momento en la muerte de Vicente Casellas.

La investigación se había centralizado en la nota.

El motociclista había desaparecido como meteoro, y los vendedores de lotería que pululaban por la Plaza de la Dársena a la hora del mediodía decían no haber visto absolutamente nada. Solamente un turista norteamericano se había aventurado a decir que había visto la motora roja, no sabía de qué marca, montada por un alto y delgado hombre cuya cabeza estaba totalmente cubierta por un casco con visera negra. Vio también el visitante cuando el motorista, sin bajarse de la máquina, se había inclinado ante el cuerpo de su víctima y le había depositado algo en el pecho. Sin embargo, enguantado y con botas, al asesino no se le podía ver ni un pelo, señaló el muy cooperador turista. Nadie más había visto o había querido ver u oír nada.

Era por eso por lo que se habían centralizado en la nota. La caligrafía parecía de mano de mujer. Los esfuerzos de la Oficina de San Juan se habían centrado en tratar de conseguir muestras de la escritura de Miguel García. A la Universidad se habían presentado varios agentes a interrogar a viejos profesores, al registrador, a todo el que pudiese haber conservado una copia de algo escrito a mano por Miguel García en sus años de estudiante. No habían tenido éxito. Sin embargo, en su carpeta en la División de Inteligencia de la Policía, pudo localizarse una fotocopia de una hoja suelta escrita a mano y distribuida en la época en que no había máquinas fotocopiadoras disponibles para los estudiantes. Un experto había dicho inmediatamente que las dos letras eran muy similares.

Bob pensó que la certeza de Hammond estaba llena de agujeros. La nota podía muy bien ser antigua y conservada, pues su contenido hubiese tenido vigencia en 1948 igual que en 1995. Lo que tenían que hacer era someter el papel a inspección, a ver si era de estos años o se remontaba a medio siglo atrás. Pero no dijo nada.

Él no había venido a ayudar a los sabuesos, sino a evaluar su labor antes de que se rindiese un informe al presidente de los Estados Unidos sobre lo que ocurría en Puerto Rico. Ya en el informe, después de escuchar a las otras agencias concernidas, podría evaluarse la labor de cada cual, y muy particularmente del Buró Federal de Investigaciones. Por el momento, le correspondía a él solamente hacer recomendaciones de política pública sobre un problema que muy pronto cumpliría un siglo entero de existencia: qué hacer con el pueblo de Puerto Rico.

Robert Cardon no pudo menos que sonreír. Durante sus dos años en Nicaragua había estudiado muy cuidadosamente la poesía de Rubén Darío. Su profesor allá también era un gran fanático de un poeta puertorriqueño, tan antiimperialista como Darío, y usaba en sus clases un soneto dedicado a una tal "Laura", la amada imposible de ese poeta boricua cuyo nombre Bob no recordaba. Una estrofa del poema sí vino a su mente, con claridad meridiana.

Decía: "¡Cuidado, Laura! Que los sueños muertos,
      ángeles catalépticos que agitan
      sus alas en la sombra, están despiertos
      y a los reclamos del amor se irritan...
      ¡Entiérrame muy hondo y ten cuidado,
      que los muertos del alma resucitan!"

En ese momento, Robert Cardon se inclinó más hacia los que le parecieron a primera vista víctimas de una represión de siete décadas, que hacia sus subalternos del FBI. Terminada la Guerra Fría, sus dos informantes le sonaron eminentemente anacrónicos. A éstos les dijo, a las puertas del hotel Caribe Hilton, que era suficiente por el día: "Los llamaré, si los necesito".

Había decidido hacer una cosa extraña: averiguar sobre los sueños despiertos de los muertos del alma en Puerto Rico.

10
El policía y el combatiente

La oficina está en un piso alto, con ventanas que dejan ver la sierra de Luquillo en lontananza. Los muebles resisten descripción. La alfombra, barata como todas las cosas compradas por la burocracia gubernamental responsable, muestra ya su uso y cansancio. La grabadora está colocada en un lugar seguro, y ha sido encendida en previsión de la reunión.

Es el 20 de agosto de 1985 y el policía, jefe del Buró Federal de Investigaciones de los Estados Unidos de América en San Juan de Puerto Rico, ha dado instrucciones de que hagan entrar a "Juvenal", el combatiente arrestado, líder de "Los Macheteros". La puerta se abre y un corpulento oficial escolta al hombre encadenado de pies y manos, quien se detiene erguido, al traspasar el umbral. El policía se adelanta y le extiende la mano en silencio. El combatiente duda unos segundos, pero extiende la suya. En medio de este saludo protocolario de adversarios, el policía instruye al oficial que le quite al arrestado sus cadenas (que caen con ruido al piso), y de inmediato, mirándole a los ojos, se dirige a él en perfecto español:

–Bienvenido. Es un placer conocerlo. Hace quince años que estábamos buscándole.

–No es esta una ocasión social, responde el otro. Me han traído a la fuerza.

–Podemos hablar de eso. Por favor, tome asiento.

Ambos personajes ocupan sillas, una frente a la otra. El silencio presagia. El policía reanuda la conversación:

–Notará que llegó arrestado pero vivo, y que no hubo heridos en su bando ni en el mío.

–Yo cumplí con mi deber y vacié mi metralleta contra ustedes, responde el combatiente.

–Sí, pero nosotros esperamos que usted cumpliera con su reglamento para tratar de ocupar la escalera hacia su casa.

–Ahí fue cuando me volaron la pistola de la otra mano.

–Notará también que el tiro de rifle impactó el lado de la pistola que la hizo salir disparada lejos de su cabeza. Queríamos evitar que fuese usted herido.

–A ustedes no les convenía salir de allí con un líder independentista muerto o gravemente herido. Esa es la única razón.

–Y teníamos los recursos tecnológicos para lograrlo.

–Me pregunto cómo lo hicieron.

–Tenemos un rifle telescópico de rayos láser que busca el lugar más caliente de su objetivo para dirigir el proyectil. En su caso, abandonada la metralleta disparada, era la pistola en la otra mano. Menos mal que no tenía usted una hebilla de metal.

–Me interesa saber si verdaderamente existe tal arma.

El policía responde como un resorte, levantándose y dirigiéndose al intercomunicador. Pide en voz perentoria al oficial que está afuera que traiga el arma. Se la entrega, despide al oficial, y se la ofrece al combatiente. El adversario la tantea, con obvio conocimiento de armas. Con un gesto veloz, empuña el arma, apunta hacia la frente de su interlocutor, y hala el gatillo. El silencio habla con mil voces.

–No esperaba usted que estuviese cargada, dice el policía. Pero puede probar la efectividad del rayo.

–Ya lo hice. Apunté directamente a su cerebro. No tiene usted ningún otro metal encima, por lo visto.

Ambos, muy tentativamente, sonríen al vaivén de la broma.

–Creo que usted reconocerá que es un enorme adelanto técnico.

–Por supuesto, lo es. Quizás puedan ustedes tener una superioridad tecnológica pero padecen de una inferioridad moral. El colonialismo siempre corrompe más a los colonizadores que a los colonizados.

–Respeto su opinión, pero usted comprenderá que no nos concebimos como colonizadores. Estamos aquí para evitar actos criminales. Nada más. No nos metemos en política. La mayoría de los electores de esta Isla han aprobado con sus votos en 1950 y en 1967 nuestra presencia y nuestra labor.

–Ustedes pueden concebirse así, pero esa autoconcepción tiene un defecto. Quiéranlo o no, este no es su país, ni nosotros somos su gente, y son ustedes representantes de una metrópoli que nos coloniza desde que nos invadió en 1898. Es por eso por lo que soy independentista.

–No nos interesa si lo es usted o no. Nos interesa si comete actos ilegales violentos para perseguir ese objetivo. Otros en esta isla han adoptado la vía electoral para buscar la independencia, y estamos teniendo cuidado de no intervenir con su ejercicio democrático.

–Yo no estoy convencido en absoluto de que no lo estén haciendo. De todas maneras, dijo el combatiente algo irritado, yo soy el arrestado y el encadenado como resultado únicamente de una ventaja tecnológica pero no moral. No estoy dispuesto a concebirlo de otra manera. Para mí, mis actos son producto de una convicción moral, y me gustaría saber si está usted dispuesto a debatir la suya frente a la mía.

El policía mira al combatiente, que hace rato ha dejado el arma descansando al lado de su silla. Otro breve silencio señala el fin de una etapa y el comienzo de otra en la confrontación. Y dice:

–Bien. Vamos a discutir por qué es usted independentista y usa la violencia y por qué yo tengo que arrestarlo por hacerlo. Pero en este caso no estamos hablando de usted y yo, así que me voy a permitir, de ahora en adelante, hablar en inglés. Se me hace más fácil defender mis principios en mi idioma, tal y como le pasa a usted.

–Hágalo usted. Entiendo el inglés perfectamente.

–Ya lo sabía. Presente usted su caso en español. Yo haré lo propio luego.

La escena tiene tinte de irrealidad. Ha caído la noche y los ventanales no reflejan las luces de la ciudad sino el negrísimo perfil del campo lejano. La luz de neón ha sido encendida. La grabadora ronronea en un cuarto cercano. Se puede escuchar el traqueteo del aire acondicionado que, como la alfombra, ha visto mejores días y ha cumplido su deber hace años. Mirándose intensamente, los dos hombres se enfrascan en un combate de ideas.

El solitario debate dura horas. No estaba, por supuesto previsto que ninguno convenciera al otro. Ni siquiera logran alterar un ápice de la visión de mundo de cada cual. No es posible, cuando se es víctima y victimario, a la vez, de una historia que no escribe uno, transformar los paradigmas mediante la conversación. Y sin embargo, si alguien hubiese observado a los dos hombres, hubiese notado un aura de humanidad compartida que los envolvía a ambos en su diálogo.

El tema se fue haciendo repetitivo de ambas partes y la experiencia agotadora para ambas almas. Policía y combatiente acordaron tácitamente, con silencios cada vez más prolongados de ambas partes, que la confrontación había terminado. La mirada fatigada habló por ambos.

Sin hablarse, se levantaron los dos. El policía se dirigió al intercomunicador y llamó al oficial, entregándole el rifle y las cadenas. El combatiente, sin decir palabra adicional, se dirigió a la puerta. Uno de ellos dijo:

–Ahora tiene usted que hacer su tarea y yo la mía.

El otro asintió con la cabeza. Nunca se volverían a ver.

Tiempo después, Richard Held, el policía, fue ascendido a otra jurisdicción no colonial y luego dejó el Buró, y el combatiente "Juvenal", Filiberto Ojeda Ríos, fue absuelto por un jurado puertorriqueño y se clandestinizó, hasta el sol de hoy.

En el informe rendido por el policía a sus superiores en el Buró, que llegó intacto hasta el Consejo Nacional de Seguridad de los Estados Unidos, se llegaba a una conclusión única: Puerto Rico era el talón de Aquiles de los Estados Unidos, y mientras no tuviese su soberanía, entre los hombres puertorriqueños, hasta el fin de los siglos, aparecía en cada generación, un Filiberto Ojeda Ríos.

Así fue. Las cosas volverían a calentarse con el asesinato de Vicente Casellas en 1995. Muchos pensaron ese día que "Juvenal" Ojeda había regresado. Nadie, sin embargo, podía estar seguro. Hammond sabía que la profecía de Held se había cumplido.

Aquel día del arresto en 1985, policía y combatiente habían salido juntos al pasillo del edificio de los Estados Unidos de América en Puerto Rico. Caminaron en direcciones contrarias, sin despedirse. Pero entre los dos habían logrado, estaba seguro, un entendimiento de la fuerza de la nacionalidad indestructible y eterna del pueblo de Puerto Rico.

En aquel momento, al cerrarse la puerta, la oficina de Washington en San Juan quedó vacía. En ella, aquel día, los muertos del alma habían resucitado una vez más. A esa hora, en la ventana, allá por la cresta del Yunque en la sierra de Luquillo, despuntó una luz. En ese preciso momento, aquel día, en medio de lo más obscuro de la noche, amaneció.

11
Ana y los Saramambiches

Había sido un día de clases como cualquier otro hasta cerca de las dos de la tarde, cuando uno de sus estudiantes vino a decirle a Ana Violeta García Rodríguez que su madre la procuraba en las oficinas del Departamento de Ciencias Sociales.

Eso era extraño, pues doña Violeta no salía de su casa en la urbanización cercana a la Universidad a menos que fuese a misa, a visitar un médico o para ir al colmado. El que hubiese caminado hasta la Universidad y la estuviese esperando en sus oficinas no era un buen presagio. Algo bien grave tenía que haber ocurrido.

Despachó a los estudiantes, se dirigió con paso rápido a las oficinas, y allí abrazó a su madre, que, sin más preludio, le disparó con agitación evidente: "¡La radio está diciendo que tu padre está vivo, y que es responsable de un ataque a tiros en el Viejo San Juan!". Serena, con una mirada más de acero que de ternura, la profesora dijo, en tono de certeza: "Eso no es así".

Sin mayor elaboración en público, ya que compañeros profesores y uno que otro estudiante pululaban en el recibidor común de la oficina, se ofreció a llevar a su madre hasta su casa, en el pequeño Toyota que estaba estacionado al pie de las escaleras. Pero conversando más calmadas en el auto decidieron no regresar al hogar en Hyde Park, para evitar las visitas inquisidoras de prensa y policía. Era mejor que se pasara un par de semanas en otro lugar, donde ya tenía ropas y otras cosas. Ana enfiló el auto, con el asentimiento de Violeta, hacia el hogar de las hermanas de su anciana madre en el Viejo San Juan.

Conversaron, en el corto trayecto, sobre las dos. Ana había nacido en 1946 y no supo de otro padre que Miguel García, que desapareció cuando la niña tenía apenas dos años. Su madre Violeta la había criado, sin embargo, con una veneración total por el occiso. De álbumes de fotografías y recortes de prensa, había extraído la progenitora todas las imágenes de aquel hombre joven, oscuro, delgado, de penetrantes ojos negros y de un mechón de pelo sobre los espejuelos de concha, que recordaba Ana.

Su madre le recordó que una sola encomienda le había dado Miguel a Violeta sobre su hija. Le había indicado que cuando la niña tuviese siete años, si quería podía confirmarla en la fe católica (cosa que Violeta había hecho), pero que ese mismo día, le ofreciese a la hija la confirmación personal de su padre. "Llévala a una esquina del baptisterio y allí, solitas las dos, le dices que yo le mando a decir mi propia confirmación de fe. Dile que el mundo se divide en dos clases de personas: nosotros y los saramambiches. Y que nosotros siempre decidiremos quiénes somos nosotros. Le das un beso mío y le echas agua bendita."

Los saramambiches, sonrió Violeta al recordarlo, era la forma en que los boricuas habían adaptado el término *sons of bitches* que tanto le habían escuchado vocear a los norteamericanos después de la invasión. En contraposición a su uso por los invasores, el pueblo lo aplicaba a todo aquel que fuese o que actuase en formas antipuertorriqueñas, en cualquier ocasión. Su uso era frecuente aún casi un siglo después. Ana recordó vivamente ese día de su extraña confirmación, y rió a carcajadas, ante la sonrisa pícara de su madre. Ana sabía que había cumplido con su padre, al pie de la letra.

Era imposible, le dijo a su madre, que un hombre que ahora tendría más de 70 años, hubiese guiado una motora envuelto en un casco negro, para matar a alguien que no conocía. Y menos posible aún era que durante esos años no les hubiese dado señales de vida.

Además, añadió con cariño, "tú viste el cadáver calcinado aquel día terrible del incendio en el almacén de Guano".

La madre asintió, pero, con un profundo dolor en voz entrecortada, le recordó a su hija que había sido imposible identificar el cadáver con los métodos conocidos entonces. Y el ajusticiamiento de Vicente Casellas, si es verdad como ya se rumoraba que era un traidor a la causa independentista, era el tipo de acción que hubiese tentado a Miguel García.

Existía la posibilidad de que hubiese huido a los Estados Unidos, como tantos otros independentistas en las grandes migraciones (mejor decirles exilios políticos) de los años cincuenta, y que no les hubiese dado señas a ellas para no comprometerlas durante los años de persecución de La Mordaza, y mientras duró el "fichado" de los independentistas, que no fue declarado ilegal en la Isla hasta 1987. Era pues, posible, que hubiese vivido todos esos años en el clandestinaje, activo sin ellas saberlo.

Una cosa era cierta. En el verano de 1987 unos exiliados cubanos anticastristas que operaban desde San Juan habían intentado publicar una lista de "subversivos" para convencer al gobierno de que era hora de hacer otra redada como la de los años de la década de los cincuenta. Les había salido el tiro por la culata. La radio y la prensa del país abrieron una inquisición sobre las "listas de subversivos" de que tanto se había hablado por años.

La Comisión de Derechos civiles inició una investigación. De ella se desprendió no solamente la existencia de las listas, sino la admisión, con lágrimas de cocodrilo, del responsable de las mismas, José Trías Monge, el verdugo de los años cincuenta que, gracias a tan exitosa gestión, había llegado a ser Juez Presidente del Tribunal Supremo de Puerto Rico. "La culpa cae sobre mis hombros", había dicho con gentil cinismo el hombre ante la Comisión, y seguido de él, desfilaron todos los saramambiches boricuas haciendo confesiones idénticas y anunciando gran arrepentimiento y propósitos de enmienda.

El abogado criminalista Graciany Miranda Marchand había demandado en los tribunales para recobrar su "ficha", y había logrado que el Tribunal Supremo, ante la tardía confesión de su líder, declarase todo el sistema inconstitucional y ordenase que se cerrasen los ficheros y se devolvieran a los perseguidos de tantos años. Una nueva era de lo que se llamó acertadamente "descriminalización" se había vislumbrado desde entonces sobre el independentismo en Puerto Rico.

Ana pensó, sintió, presintió quizás, que la hipótesis descabellada de su madre envolvía en realidad una esperanza. Pero, aun asumiendo esa posibilidad, no habría explicación para que su padre no se hubiese comunicado con ellas en los últimos ocho años. Por otro lado, no fue hasta los años noventa cuando algunos exiliados nacionalistas se sintieron suficientemente seguros para regresar y activarse, y de ello hacía menos de cinco años.

Era como si doña Violeta quisiese convencerse de que Miguel vivía, sabiendo que no. Era como si quisiese convencerse de que su adorado esposo cumplía aún una misión histórica para su pueblo y su país, que no era uno de los derrotados. Era lógico que Violeta aspirase a que en este otoño de la vida, Miguel (o su recuerdo vivo) volviese a ella. Ana no quiso, por amor, despejar esa esperanza inútil. Después de todo, se podía volver de entre los muertos, si alguien recobraba el recuerdo y lo revivía.

Ana había sido siempre una niña obediente y amorosa en el hogar. En la escuela, sin embargo, había sido toda una rebelde. De pequeña, la niñita del largo mechón de pelo liso y de los ojos vivos, había estudiado en la Escuela Luis Muñoz Rivera de Capetillo, un barrio de familias trabajadoras de Río Piedras.

Su madre la había acompañado siempre a las ferias científicas, los días de juegos, los cierres de curso, y toda otra ocasión en que se hubiese solicitado la presencia de los padres. Cada vez que la madre aparecía sola en uno de esos eventos, una que otra profesora le hablaba de las "diabluras" de Ana en la escuela, que no eran otra cosa que no dejarse someter ni a maestros ni a compañeros, celosa como era de una feroz independencia que defendía, inclusive, con sus propios puños, frente a varones más fuertes. "Esa Ana" decía "se defiende sola".

En Escuela Superior, Ana desarrolló otras dotes además de su ferocidad. Se convirtió en una joven hermosísima, delgada, alta, con el mismo pelo largo y lacio, añadiéndose un par de espejuelos de aviador que la caracterizaron por el resto de su vida. Era coqueta, vivaracha, la atracción de lujurias juveniles de los varones que siempre quedaron por concretarse, pues Ana, por razones que nadie supo, tuvo un solo amor, un poeta. Ella se dedicó exclusivamente a sus estudios, en los que se destacó sin competencia alguna entre los de su edad. Consiguió una beca completa, y pasó aceleradamente, en tres años, por la Universidad de Puerto Rico, de donde (luego de separarse por razones desconocidas de su compañero) se graduó con honores en 1969.

En un año, gracias a otra beca, terminó su Maestría en los Estados Unidos. Allá estuvo activa en los movimientos de afirmación puertorriqueña como la Organización Boricua (conocida como "La O") y entró en contacto con jóvenes nacidos en los Estados Unidos que afirmaban su puertorriqueñidad con mucha mayor fruición y compromiso que sus compañeros en la Isla. Entre ellos, su mejor amigo y confidente resultó ser Manuel Hernández, otro joven poeta nacido en Nueva York que escribía bellos poemas patrióticos en inglés. Manuel le enseñó a Ana que ser un buen puertorriqueño tenía poco que ver con hablar o no solamente español, y que el alma de la patria vivía también en el exilio.

Vivieron juntos unos dos años, en la ciudad de Boston. Pero lo primero fueron, otra vez, sus estudios, y, en agosto de 1970, a su regreso a Puerto Rico, se la nombró Instructora de Ciencias Sociales en el Recinto de Río Piedras de la Universidad de Puerto Rico. Allí la encontró el destino el 11 de marzo de 1971.

El movimiento anexionista había triunfado por vez primera en Puerto Rico en 1968, bajo el liderato del industrialista Luis A. Ferré. Éste había nombrado Superintendente de la Policía a un exmilitar, que dio rienda suelta a los instintos represivos contra el independentismo, que, entonces como ahora, se consideraba el baluarte contra la admisión como estado de la Unión. La represión, como era natural, trajo con ella mayor combatividad.

El Centro de Estudiantes de la Universidad de Puerto Rico se convirtió en esos años en el foco de lucha entre jóvenes anexionistas y jóvenes independentistas. Ese día de marzo, un incidente relativo a la instalación de pancartas de ambos lados inició una reyerta que pronto se convirtió en motín. Estudiantes armados favorecedores de la independencia se parapetaron en dicho Centro mientras otros intentaban un asalto al edificio militar aledaño del *Reserve Officers Training Center* (ROTC), defendido por los anexionistas. Ana se encontraba ese día almorzando en el Centro de Estudiantes, y se encontró en medio de la confrontación armada.

El jefe de la Policía ordenó la entrada a la Universidad de la Fuerza de Choque, el destacamento armado de mayor poder en la Isla, dirigido por el teniente Virino Mercado junto a su ayudante el entonces sargento mayor Alejandro Méndez. Mientras la Fuerza de Choque hacía su entrada en formación de ataque, los líderes de los estudiantes independentistas se parapetaron (quizás con premeditación ideológica) detrás de la enorme base cuadrada de la estatua del filósofo español Miguel de Unamuno, que presidía la plazoleta frente al Centro de Estudiantes. Una verdadera ronda de fuego se inició por sobre las cabezas de los dos bandos, y Ana se encontró, empujada por la multitud estudiantil, en el medio.

De repente, en el preciso momento en que el teniente Mercado levantaba su brazo desarmado para dar la señal del ataque final al Centro de Estudiantes, un certero disparo de rifle que vino desde el techo del Centro de la Facultad a su izquierda, le entró por la axila sin protección de su chaleco contra balas, y le partió en dos el corazón. Lo que pasó al caer el líder policiaco resultó indescriptible. El sargento Méndez asumió el comando, y dio una sola orden: "¡Disparen a matar!".

Ana cayó, herida en un hombro, y fue recogida por otros dos estudiantes y llevada detrás de la estatua. Cayeron docenas de cuerpos al pavimento, la multitud estudiantil horrorizada se dispersó, se escucharon los últimos disparos estudiantiles, y la Fuerza de Choque ocupó totalmente el perímetro.

La prensa al día siguiente resumió en grandes titulares el saldo mortal: GUERRILLA URBANA MATA A 3 EN LA UNIVERSIDAD. HUBO 62 ESTUDIANTES HERIDOS. En una entrevista, uno de los oficiales policíacos que no quiso revelar su nombre, era citado diciendo: "La represión es una vacuna. Pero hace que nosotros, los policías, terminemos pareciéndonos a los guerrilleros".

Ana no pudo leer esa prensa. La joven fue recogida por unos policías, arrestada sin contemplaciones, y, sangrando, fue empujada dentro de una perrera o vagoneta policíaca, y llevada directamente al cuartel General de la Policía de Puerto Rico, en el barrio Cantera de Hato Rey.

Encerrada en un cuarto sin ventanas, frígido como la muerte mediante un aire acondicionado a todo dar, con paredes acolchadas y con una sola luz de neón en el techo, Ana esperó, valiente pero trémula. La sangre había sido detenida por un tosco torniquete aplicado por uno de los policías en la perrera, pero sus restos manchaban toda su ropa, y aun sus libros, a los que se aferraba con obvia insensatez, en ocasión tan inoportuna.

Luego de unas horas de espera que se le hicieron siglos, entró a la habitación un alto y fornido oficial en uniforme, con los galones de sargento en su camisa impecablemente blanca. Se le presentó –no lo olvidaría jamás– como el sargento mayor de la División de Inteligencia, Alejandro Méndez.

Lo ocurrido ese día hizo temblar a Ana una vez más en el auto. Ya se lo había contado a su madre una y mil veces, pero revivió en carne y hueso el momento en que Alejandro Méndez, acercándose lentamente con una sonrisa amable en los labios, comenzó a tocarle la cara, los senos, la entrepierna. La revulsión la hizo levantarse de la silla en que estaba, que se viró, y arañarlo furiosa, pero Méndez la siguió, sus manos ofensiva adelante, tocando, riendo, casi gritando: "¡A la verdad que estás bien buena, terrorista de mierda!".

El macho, el Jodón, era muy conocido ya entre sus allegados por sus insaciables deseos sexuales. Era su especialidad detener en la carretera a las jóvenes que tuviesen banderas puertorriqueñas en los parabrisas de sus carros, investigar sus señas y dirección, y luego acercárseles con cualquier excusa en el campus o en sus propios hogares, para invitarlas a pasar unas horas con él en uno que otro motel en la carretera de Caguas. Hubo unas que, por terror o debilidad, incluso logró convertir en informantes dentro del independentismo. Otras hubo que lo hicieron con gusto. Ana era diferente. Cobrando fuerzas del recuerdo de su padre y de las lecciones de su madre, abofeteó con fuerza al policía. El esfuerzo abrió el torniquete, la sangre volvió a correr, y la joven estudiante, desafiante, manchó con sus manos la faz del policía, que retrocedió. En ese momento, su valor la salvaría de una peor suerte en el Cuartel de la Policía de Puerto Rico.

Ana tuvo que ser trasladada de emergencia a un hospital. Al sargento mayor se le hizo una investigación perentoria que, como era de esperarse, lo absolvió de toda responsabilidad por el desangre de la arrestada. Luego de unos días en el hospital y de la inexplicable desaparición de todos los cargos, la joven fue devuelta a su hogar por un alto oficial de la uniformada, con las más fervientes excusas por un arresto que a todas luces, dijo el funcionario, había resultado injustificado. Esas excusas se presentaban, dijo el oficial, a nombre del gobierno de Puerto Rico, y muy particularmente a nombre del recién ascendido teniente Alejandro Méndez, ahora jefe de la Fuerza de Choque.

Ana no volvería a ver a Alejandro Méndez por muchísimos años, pero estaba escrito que un día, volverían a encontrarse.

Nadie la había molestado desde entonces, y llevaba ya 24 años enseñando literatura y política en la Universidad, sin un incidente. La alegada resurrección de su padre levantaba en Ana fuertes ventarrones de odio del pasado, pero, al mismo tiempo la asediaban lloviznas de perdón. "Sueño a bolero", se dijo a sí misma, cuando una vorágine le sacudía el cuerpo. Pero una mente fría le pedía que olvidase y siguiese con su vida.

Así se lo explicó a su madre, y, con un tierno beso, la dejó a la puerta de sus tías en la casa de la Caleta de las Monjas.

12
Cara a cara

Los dos hombres se tropezaron al salir a pedir un taxi en la explanada de recepción frente al hotel Caribe Hilton.

Julián y Robert se pidieron excusas, el primero en perfecto español y el segundo en perfecto inglés, y luego de mirarse a los ojos, el segundo en perfecto español y el primero en perfecto inglés. Como era inevitable, los dos rieron al haberse rendido a los prototipos. El boricua habló un inglés perfecto, el yanqui habló un español perfecto. Eso, en vez de tranquilizarlos, los confundió. Pero abrió el diálogo, cada cual en su idioma.

El encuentro accidental tuvo el efecto de compartir el taxi, ya que iban los dos hacia el Viejo San Juan. Y como de todas maneras tenían tiempo antes de sus citas previstas, acordaron sentarse a darse un trago en el "Patio de Sam", ante la pequeña y casi ridícula estatua de Juan Ponce de León, con su índice levantado hacia la isla grande, en la Plaza de San José. Antes de entrar, Julián quiso contar a Robert lo que él había aprendido.

La plaza de San José es un pequeño cuadrángulo al tope de la loma más alta en la isleta-ciudad del Viejo San Juan. Es el corazón, aún latiente, de España en Puerto Rico. Desde allí puede verse, hacia el Noroeste, el macizo Castillo del Morro, con sus imponentes murallas de piedra, en medio de un campo abierto de verde grama. Hacia el

Sur baja la Calle del Cristo, empedrada con adoquines que trajeron las flotas que venían vacías de España para dar estabilidad a los buques, ladrillos que se quedaban en la Isla tan pronto los bajeles eran cargados. Al este y al oeste se extiende la Calle de San Sebastián con sus restoranes y galerías. Desde este tope de la ciudad se divisan el Mar Atlántico al norte, y la Bahía de San Juan al sur.

Alrededor de la plaza, en una especie de síntesis de la historia española en la Isla, se cuadran el Convento de los Dominicos (ahora el Instituto de Cultura Puertorriqueña), la Iglesia de San José (la más vieja, aún en uso en América), el Cuartel Militar de Ballajá (ahora un museo hispanoamericano), el Museo de Pablo Casals (que vivió y murió en Puerto Rico), la plaza del Quinto Centenario con su tótem telúrico (construida para conmemorar la reciente visita de los Reyes de España), y el Palacio Arzobispal, que fuera hogar de Luis Cardenal Aponte Martínez, el primer jerarca puertorriqueño de la Iglesia Católica en el siglo XX, junto al centenario Seminario de San Idelfonso, ahora el Centro de Estudios Avanzados de Puerto Rico y el Caribe.

Según se baja por los cuatro costados de la plaza, se encuentra el visitante con el imponente Castillo del Morro al Oeste; las murallas, el cementerio, el caserío de la Perla y el bulevar del Valle por el Norte; las calles del Sol y la Luna por el Este; la Casa Rosa, la Casa Blanca (residencia de los gobernadores militares) y la Fortaleza (residencia de los gobernadores civiles) por el Suroeste; y las calles de San José y San Francisco, junto a la Caleta de las Monjas, por el Sur.

Contra la muralla del Sur, cerrando la ciudad murada, está la Capilla del Cristo. Más de una docena de baluartes, polvorines, y garitas vigilan aún el mar desde el tope de las murallas, como recuerdos de un pasado de asedios del total de 85 invasiones o ataques que ha sufrido Puerto Rico. El más reciente, por supuesto, era el de los Estados Unidos en 1898.

Julián contó, con una sonrisa pícara, que, quizás como un gran presagio, cuando el Almirante Sampson había bombardeado la ciudad desde el Atlántico al final de la Guerra Hispanoamericana, los cañones del *Yale* eran tan poderosos que, además de los daños al

CARA A CARA 115

caserío y a la población civil, la mayoría de los 1,300 proyectiles sobre-
volaron la ciudad de Norte a Sur, y fueron a caer a la Bahía de San
Juan, al otro lado. Los americanos habían iniciado su invasión con
un enorme error. Esperaba, añadió, que los norteamericanos se con-
vencieran de que la invasión misma había sido un enorme error, y lo
corrigieran, pronto.

A Robert no le pareció muy cómica la reseña, y escogió ignorar
el grave reclamo. Se limitó a apuntar que Sampson pudo haber creído
que la flota de Cervera se hallaba anclada en la Bahía, y que ese era su
verdadero objetivo al disparar tan largo. Julián no elaboró para no
comenzar con una discusión nimia, pero apuntó que si ello era así, el
espionaje norteamericano en Puerto Rico se había iniciado también
con un gran error, pues la flota española había estado en esos momentos encerrada por la escuadra naval norteamericana, en Cuba.

Luego de sentarse en el restorán, uno se le presentó al otro
como un profesor universitario de Hunter College haciendo investigaciones sobre el nacionalismo puertorriqueño. El otro se le presentó al
uno como un profesor universitario de Notre Dame haciendo investigaciones sobre el nacionalismo puertorriqueño. La casualidad se les
antojó providencial. Aunque los dos mintieran en ese encuentro inicial,
fue el fundamento de una amistad que habría de durar muchos años,
y tendría el efecto de romper las múltiples máscaras que constituyen
esta historia.

Luego de los reconocimientos tentativos, la conversación se
centró en la historia de los "estallidos" (así ambos acordaron llamar-
los) de violencia nacionalista en la historia de Puerto Rico. Los dos
conocían las fechas más destacadas de los ocurridos en la Isla: 1868
en Lares, 1898 en Coamo, 1936 en Río Piedras, 1950 en Jayuya, 1971
en la Universidad, 1980 en la Base Aérea en Carolina. Añadieron
también los ocurridos en el territorio continental norteamericano: el
ataque al Presidente en Washington en 1950, el ataque al Congreso de
Estados Unidos en 1954, la voladura de *Fraunces Tavern* en Nueva
York en 1976, el robo de la *Wells Fargo* en Hartford en 1985. Los dos
acordaron buscar juntos una explicación para la persistencia y con-
tundencia de esos estallidos en ambos lugares del Océano Atlántico.

Robert pidió la palabra para dar su versión de esa historia, la que había obtenido de los *"briefing papers"* que le había entregado justo antes de entrar al avión su ayudante, y que estaban basados en estudios realizados por un tal Coronel Héctor Negroni, un *"asset"* norteamericano del Departamento de Defensa que rendía labores en la corporación McDonnell Douglas en España.

Julián tenía que entender, dijo Robert, que Puerto Rico había sido, desde el momento mismo de la colonización española, "la llave de las Indias", según las palabras de la propia Corona. Su sino había sido de orden militar, y por ende, de violencia.

Julián reaccionó de inmediato para indicar que esa violencia había sido primero violencia del estado antes de ser violencia clandestina. A ello contestó Robert que fuese cual fuese el huevo y la gallina, el hecho era que la Isla y su gente habían estado siempre bajo este signo dual de la violencia. Ambos asintieron.

La teoría de las "llaves" del Caribe en tiempos de España se había convertido, elaboró Robert, en la teoría de los *"choke points"* de la Marina de los Estados Unidos. Había en el Caribe una serie de entradas entre islas hacia el *"soft underbelly"* de los Estados Unidos en el Golfo de México (en las Bahamas, entre Cuba y Florida, entre Cuba y la Española, entre la Española y Puerto Rico, entre Puerto Rico y las Islas Vírgenes, entre algunas de las Islas de Barlovento), y todas podían y debían ser controladas desde Puerto Rico. Por eso, la Isla era esencial.

Las fortificaciones que allí mismo les rodeaban, añadió, eran evidencia de ese destino violento de la Isla. Los ataques de ingleses, franceses y holandeses en los siglos anteriores y las amenazas de las flotas alemanas y soviética en este siglo, habían determinado el sino de la gente de Puerto Rico. De hecho, dijo, en los tiempos de España la Isla era meramente un "presidio", y el carácter de su gobierno había sido siempre militar, aun a nivel de los villorrios, donde mandaba un "teniente a guerra", que, a su vez, controlaba las mejores tierras. Tan cerca como 1846 el 70 por ciento del presupuesto español era para gastos de guerra.

En la lista de gobernadores de tiempos de España, elaboró, se destacaban Almirantes, Capitanes, Tenientes, Comendadores, Coroneles, Maestres de Campo, Sargentos Mayores, Brigadieres, Tenientes Coroneles, Mariscales de Campo, Tenientes Generales y Generales. Los Estados Unidos habían heredado en la Isla una tradición militarista y autoritaria, y su gobierno militar había durado, en comparación, solamente dos años, entre 1898-1902.

Julián no pudo menos que sonreír ante la imponente memoria de su interlocutor, que pudo darle la lista de títulos militares casi sin interrumpir la respiración. Comprendió en ese momento que esta discusión no iba a ser fácil, pues Robert iniciaba la ofensiva echándole la culpa del militarismo histórico y del rol de la violencia en la historia isleña a la Madre Patria. Tuvo que aceptar, sin embargo, que en 1759 de las 46,000 personas en la Isla, 6,000 eran milicianos, lo que abonaba a la responsabilidad histórica española por el signo de violencia, concreta o implícita, que había caracterizado a su patria. Esos milicianos habían sido los "vecinos distinguidos" que, por tal razón, monopolizaron las mejores tierras y se convirtieron en los primeros hacendados criollos, todos "incondicionales" de España.

Ah, pero encontró el argumento perfecto para rebatir. En la insurrección de Lares, precisamente estuvieron envueltos varios líderes de las milicias junto a otros soldados. Ello llevó a España a sospechar de la lealtad de los criollos, y finalmente fueron desbandadas esas milicias. En otras palabras, dijo Julián, la rebeldía criolla se había nutrido de la violencia española y, en este siglo, de la violencia norteamericana.

A los criollos se les enfrentó un cuerpo de Voluntarios creado con civiles nacidos en España, que por serlo, monopolizaron el grupo gobernante y, a mediados del siglo XIX, eran conocidos como "un partido político en armas" incondicional a España: y en estos tiempos, a los nacionalistas se les enfrentaba una élite intermediaria incondicional a los norteamericanos

Robert admitió que aun su fuente histórica aceptaba que ese había sido el caso, y que así empezó a crearse la diferencia entre "criollos" y "los de la otra banda", luego conocidos respectivamente como los "secos" y los "mojados". De esa distinción, acordaron, surgió el nacionalismo en Puerto Rico.

Ese sentimiento nacional, abonó Julián, había causado una veintena de levantamientos desde 1701 hasta 1875: ataques de esclavos, complots de capitanes, alzamientos de artilleros, motines en San Juan, Toa Alta y Toa Baja, Ciales, Camuy, Yauco, Arroyo, Yabucoa, entre otros; y finalmente la represión española se había desbordado en los terribles "compontes" del año de 1887, y había intentado asfixiar la expresión de la nacionalidad.

Con esa asfixia, respondió Robert, se encontraron los Estados Unidos al invadir en 1898, y por eso la mayoría de los puertorriqueños recibieron con alivio a las tropas norteamericanas. De hecho, durante los primeros meses de la invasión, "partidas sediciosas" anti-españolas como la de "Águila Blanca" se dedicaron a la venganza contra los "mojados" y sirvieron de aliados de los Estados Unidos en varios municipios. Julián no quiso, ni hubiese podido, de querer, contradecirlo.

Robert tomó, una vez más, la iniciativa al explicar que, de acuerdo con el estudio histórico, la relación entre los puertorriqueños y los norteamericanos se había iniciado mediante el contrabando a mediados del siglo XIX, y que había en la Isla grandes simpatías entre los nacionalistas hacia los Estados Unidos, ya que muchos de ellos estudiaban allá. Los Estados Unidos habían ofrecido comprar a Puerto Rico en 1869 pero España se había negado, y, en efecto, la habían comprado al dar $20 millones en compensación a España en el Tratado de París.

Esta gentil visión del imperialismo norteamericano, ripostó Julián, provenía obviamente de un enajenado. No, alegó Robert revelando su fuente, el Coronel es un puertorriqueño. Bueno, dijo Julián conciliatorio, "todos los países tienen sus cipayos". Robert no respondió, pero una larga línea le frunció el ceño.

El primer malentendido grave troncó la conversación por unos momentos, y ambos comensales se refugiaron en la intención de

ordenar comida. La conversación se había extendido más de lo esperado, las citas respectivas aguardaban, pero ninguno de los dos quería
dar por terminada aún esta primera charla tan fructífera. Menos aún
cuando apenas llegaban ahora a conversar sobre los años de los norteamericanos. Julián le preguntó a Robert si había realizado alguna investigación sobre las instalaciones militares de Estados Unidos en Puerto
Rico.

Robert dijo que sí (traía allí mismo, en su cartapacio, un memorando secreto del Consejo Nacional de Seguridad con la descripción
detallada de la función de cada una de ellas). Se limitó a enumerarlas:
Base Naval de Roosevelt Roads en Ceiba, Estación de Comunicaciones
Navales en Ponce, Estación Naval de Comunicaciones en Sabana
Seca, Base de la Guardia Nacional Aérea en Carolina, Centro de Entrenamiento de Oficiales en Río Piedras, Patrulla Aérea Civil en Carolina,
Estación Naval en Vieques, Campamento de Entrenamiento en Salinas,
y unas cuantas otras que, por secretas, no le era dable mencionarle a
su recién conocido interlocutor puertorriqueño.

Julián escuchó la retahíla con el mismo interés con que había
escuchado la lista de militares españoles y supo, desde ese momento,
que este señor gentil no podía ser verdaderamente ningún profesor
de Notre Dame, sino algo mucho más serio. No dejó pasar el pensamiento. Conversaba con un espía norteamericano, pensó.

Esa lista, dijo Julián, evidenciaba que nada había cambiado en
la historia de su pueblo en más de 500 años. Éramos todavía un
presidio militar, y, en ese sentido, la violencia nacionalista que contaba
con una docena de estallidos en un siglo, era una respuesta, una
reacción natural, al sino de baluarte estratégico. Robert anunció tener
otra teoría, que comenzó a exponer.

La idea separatista nació efectivamente bajo España. Ese ideal
hizo crisis en 1922 cuando la abandonó el partido mayoritario en la
Isla, y la recogió el Partido Nacionalista. Pero en 1930, señaló Robert,
el nacionalismo había escogido el camino de la violencia, bajo el liderato de Pedro Albizu Campos. En las elecciones de 1932 Albizu recibió
el 3 por ciento del total de votos, más o menos lo mismo que el partido

de la independencia había obtenido en 1992, sesenta años después. Eso, para el norteamericano, era evidencia de que no existía entre la gente de la Isla una voluntad de independencia. El nacionalismo había optado por la violencia por no tener apoyo electoral. Por eso Albizu había organizado un "ejército libertador" de alrededor de 10,000 personas en 1936. En ese momento, se habían polarizado las fuerzas, y se había producido la "Masacre de Ponce" en 1937.

En esos años los nacionalistas asesinaron al Coronel Francis E. Riggs, jefe anglosajón de la Policía Insular, el juez federal Robert A. Cooper fue víctima de un atentado y el gobernador de Puerto Rico, Coronel Blanton Winship, fue atacado a tiros en Ponce. Albizu fue procesado, pero un jurado boricua lo absolvió, y hubo que convocar a un jurado de norteamericanos que lo condenó a prisión por "sedición". Doce años después, luego del regreso de Albizu a la Isla, se desató una revolución en que murieron 29 personas y hubo 51 heridos, en 1950. El pueblo, con el voto, había consentido, en esos años, la relación con Estados Unidos.

La cosa se había complicado después de la llegada a La Habana de Fidel Castro en el Año Nuevo de 1959. En su afán de exportar la revolución, la Cuba fidelista se había empeñado en "crear problemas a los Estados Unidos en Puerto Rico", apoyando a los sectores más recalcitrantes del independentismo, bajo el liderato de Juan Mari Bras. Robert se inclinó al lado derecho de la mesa, y extrajo una hoja de papel de su maletín. Leyó una lista de incidentes violentos adscritos a agentes de Cuba. Bombas incendiarias en 1961, motín en la Universidad en 1964 y en 1967, incendios en comercios norteamericanos en 1968, otro motín en la Universidad en 1969 con la muerte de una estudiante, artefactos incendiarios encontrados en 1970, un motín en grande escala en la Universidad en 1971 junto a bombas en comercios norteamericanos, cien intentos de bombas en Estados Unidos reclamados por las Fuerzas Armadas de Liberación Nacional (FALN) entre 1974 y 1981 incluyendo 4 muertos y 53 heridos en *Fraunces Tavern* en 1975, el asesinato de un policía en Naguabo por "Los Macheteros" el 24 de agosto de 1978, el asesinato de 2 marinos norteamericanos y

CARA A CARA 121

10 heridos en Sabana Seca el 3 de diciembre de 1979, y el asalto a la Base Aérea en el Aeropuerto Internacional el 12 de enero de 1981. Robert siguió enumerando: bombas en la Autoridad de Fuentes Fluviales en 1982, el asesinato de un marino norteamericano el 16 de mayo de 1982, el robo de más de siete millones de dólares en Harford, Connecticutt, en septiembre de 1983, el ataque con cohetes anti-tanque al Edificio de los Estados Unidos en Puerto Rico en noviembre de 1985 y otro en la Guardia Nacional en Yauco en octubre de 1986. Y desde entonces, desde la caída de los exportadores de la revolución en Cuba, una paz aparente.

Ese historial, alegó Robert, lo ofrecían los funcionarios policíacos locales y la inteligencia naval metropolitana como evidencia de la necesidad de represión de Estados Unidos contra Puerto Rico, como una defensa de la seguridad nacional contra la inestabilidad creada por Cuba. Julián ripostó que ya no existía el alegado "peligro cubano" en el Caribe, y que, a pesar de ello, el terrorismo de inspiración nacionalista, añadió, "no ha desaparecido en 1995, porque ustedes no han resuelto irse".

La cuestión, ripostó Robert, era decidir qué había que hacer con el fenómeno que recurría durante todo el siglo, con una regularidad pasmosa. Era hora ya, dijo, de conocer las razones de tal persistencia de la violencia. Julián se limitó a contestar, con seriedad grave y el ceño fruncido, que la explicación le parecía sencilla: una nacionalidad batallaba para sobrevivir.

Julián iba a comenzar a elaborar, pero Robert hizo un gesto de impaciencia: las horas habían avanzado, y ambos estaban tarde para sus citas. Habría que seguir hablando. Se repartieron la cuenta entre los dos, se intercambiaron los números de habitación en el hotel, y se prometieron una reunión para cenar tarde esa noche en el Caribe Hilton.

Julián se ofreció a acompañar a Robert hasta las oficinas del Municipio de San Juan a las que se dirigía. Frente a la entrada por la Plaza de Armas se despidieron hasta esa noche.

Sin embargo, al despedirse, Julián le escondió a Robert un nuevo descubrimiento que el otro no estaba, de todas maneras, en condición de entender. Al bajar por la Calle del Cristo, con el rabo del ojo, Julián había visto a una viejecita entrar a una casa en la Caleta de las Monjas. No le cupo duda de que era la desaparecida Violeta. Ya sabía donde encontrarla.

13
El mensaje del manuscrito

El día estaba límpido y fresco. La brisa del mar barría los calores hacia el interior, y la luz (esa incandescente luz caribeña tan propia y tan importante, tan indispensable para la vista y la conciencia en los trópicos) llenaba al Viejo San Juan de destellos juguetones en los adoquines, en los parabrisas, en las vidrieras, a todo lo largo y lo ancho de la isleta-ciudad. En San Juan era un día como tantos, pero era un día de resplandores.

Julián se encaminó hacia la librería en que se proponía recoger un par de docenas de libros sobre Puerto Rico. Le había perturbado la conversación con Robert. Había sido como volver al centro por la base. Por la base literal, sí, por la base yanqui, por Roosevelt Roads, en Ceiba. Y regresar del centro por la otra base, la Muñiz, la atacada y ocupada por la tea boricua en el momento preciso, en los años del tranque. Ahora, caminando, se encontró detrás de La Fortaleza.

Caminó cuesta abajo hasta la estatua de La Rogativa y allí se plantó frente al castillo de los gobernadores, frente a la sede que siempre había sido de los otros, frente al edificio muy certeramente nombrado con el nombre que debió tener el país – La Fortaleza. Miró por encima de la muralla, hacia tierra adentro, hacia la raíz. Inútil le pareció un viaje para encontrar al final solamente el lugar de donde se salió, sin futuro.

¿Adónde ir? Ir hacia Loíza, hacia los poblados de negros construidos sobre los poblados indígenas, ir hacia la cimarronería de la costa, era una alternativa. O ir hacia el monte, hacia el refugio de los blancos pobres que trabajaron para el blanco rico y extranjero, viviendo aún en el agrego y la jaibería. ¿O ir hacia el pueblo del interior, ir otra vez a Guano, donde en 1806 el ilustre pintor José Campeche había escogido a Pantaleón Avilés, un niño esperpéntico sin brazos para ilustrar al pueblo de Puerto Rico? Lo tentó virar la espalda y hacerse al mar, volver a cruzar el Atlántico y refugiarse en Nueva York, en el abandono de su empeño, volver a la negación de lo suyo, como lo habían hecho tantos otros.

El pito y la hermosa visión de un enorme y blanquísimo transatlántico noruego, el *Other Worlds*, entrando en la Bahía de San Juan, lo sacó de su ensimismamiento. Había otros mundos.

Había que echar a andar, de todos modos, a ver qué se encontraba el viajero aquí y ahora. Regresó a su hotel. Mientras cavilaba, recordó el viejo manuscrito guardado por su padre, y sin otro norte, decidió escudriñar en el mismo alguna clave.

Desde el pasado, le llegó la voz de Miguel Enríquez:

En la villa de San Germán era donde mejor se amaba a la patria, y allí y en Guano se había desatado un levantamiento en 1701. Los de San Germán se negaron a prestar servicios de guardia en San Juan. Los de Guano les apoyaron. Y como habían sido los milicianos naturales los que defendieron a Arecibo, Loíza y Guayanilla de los ingleses y holandeses, se sabía que habían sido los sangermeños naturales, con su compañía de caballería, los que derrotaron definitivamente a los holandeses. Estos hechos llevaron a una autoconciencia tan grande en mis paisanos, que los de San Germán se sublevaron por más de diez años. Mis simpatías, por supuesto, estaban con ellos y con los hermanos de Guano.

Pasaron por mi mente graves dudas. ¿Debíamos ser leales vasallos del Rey cuando la patria sufría tiranizada por los gobernadores militares en la Isla? Los que defendimos la Isla no lo hicimos por ellos, ni por el Rey, lo hicimos por Puerto Rico. Esa fue la actitud de las milicias urbanas y del pueblo. A nosotros no nos derrotaron los extranjeros, como hicieron en Santo Domingo, que los peninsulares abandonaron y cayó en manos de los corsarios y filibusteros franceses. Esto no ocurrió en Puerto Rico, en que resistimos toda invasión con valor.

Conocida nuestra propia fuerza, el gobernador se enfrentó a una franca rebelión, y se vengó acusando a los sangermeños del delito de contrabando. Ellos se negaron a acatar la imputación, y el gobernador puso a algunos en prisión. Otros insurrectos viajaron a la Audiencia de Santo Domingo. El alférez real, Sebastián González de Mirabal, promotor intelectual de la rebelión, se acogió al sagrado en el convento de los franciscanos, mayormente separatistas portugueses, en Santo Domingo.

El gobernador, que se volvió loco, dio orden de ir a matar a Guano, pero las milicias de paisanos se negaron y se rebelaron el capitán de milicia, Cristóbal de Lugo, el indio José de la Rosa, y el mestizo Juan Martín. Hasta la escuadra que conducía el alférez Leonardo Rodríguez se rebeló en Bochahabana en 1711. Las escuadras rebeldes se refugiaron en Hormigueros. Antonio Ramírez de Arellano y Juan Cintrón se negaron a fulminar a los rebeldes, considerando que todos eran deudos y parientes, puertorriqueños. Los patriotas llegaron, inclusive, a designar su propio gobernador. Todos mis buques y marinos se mantuvieron alertas.

Desafortunadamente, las tropas leales capturaron el puerto de Ponce, y algunos rebeldes se refugiaron en las montañas de la Indiera de Maricao. El gobernador se preguntó qué hacer con sus prisioneros. Ningún barco con rumbo a Cádiz hizo escala en San Juan. Para probarme, el gobernador me preguntó si uno de los míos se atrevería a cruzar el Océano Atlántico para remitirlos a la Casa de Contratación. Le contesté que sí, si se me permitía hacer una escala en las islas Canarias, sacando algún provecho de algunos efectos de corso, esperando que por esa razón podría negarme, pero aceptó. Envié mi balandra "La Perla", que levó anclas de San Juan con pliegos a Su Majestad el 14 de agosto de 1711, y con cinco isleños que habían sido acusados de ser los instigadores del levantamiento en Coamo y San Germán.

Gracias a la Divina Providencia, Su Majestad Felipe V concedió un indulto general por el nacimiento del infante Don Luis, y los puertorriqueños levantados volvieron a la Isla.

Y aquí, hija mía, tenemos la clave de mi infortunio.

Nadie quiere explicar la génesis de la animadversión. El gobernador Gabriel Gutiérrez de la Riva, en comunicación que creyó secreta a la Reina gobernadora, me acusó ante la Corona de haber alentado a los vecinos de Coamo a su levantamiento. Uno de mis espías en La Fortaleza me lo dejó saber. Confieso, te confieso hoy ante la muerte con orgullo, que era toda la verdad.

Mis conspiradores se exiliaron con sigilo en mis balandras, y desde su destierro me llegó una misiva de Doña María de la Acepción Mirabal, hija y esposa de dos de los sublevados, en que me decía del sufrimiento que estaba pasando, sin tener con qué mantenerse, atenida a voluntades ajenas fuera de su patria. Comprenderás, hija, cómo sacudió mi espíritu leer con lágrimas en los ojos, la palabra bendita de la patria en referencia a Puerto Rico, y sabrás que me envolvieron en ese momento los más conflictivos sentimientos sobre mi participación, en ambos lados, en los hechos de la rebelión de San Germán. Ello lo confieso ahora, *in articulo mortis*, para que se sepa dónde estaba mi fe.

La Guerra de Secesión terminó con la Paz de Utrech en 1713. Su Majestad el rey borbón Felipe V me reconoció en una real cédula a los oficiales reales en Puerto Rico de ese mismo año, el que me había dedicado al bien y unidad de sus vasallos en nuestra Isla, a la manutención y socorro y defensa de ella, haciendo préstamos a sus reales cajas sin interés alguno, y añadiendo tener mis embarcaciones y más de doscientos hombres armados y tripulados a mi costa, siempre puestos a la disposición de la Isla.

Ese año en que cumplí los treinta y nueve años, 1713, su Majestad el Rey me extendió una real cédula auxiliatoria para que pudiese acudir directamente al Consejo de Indias, insertándome por popio derecho y directamente en los más altos círculos de poder de la Corona, cosa que ningún natural había logrado. Y me hizo, a mucha honra, Caballero de la Real Efigie.

Confieso ahora, habiendo evaluado los hechos que me han llevado hasta este claustro hoy, que estimo que la Corona me hizo tan grande honor solamente para asegurarse de mi lealtad, como había hecho con el Capitán Correa, al darse cuenta que éramos nosotros más fieles a Puerto Rico que a la corona, y que podíamos fundar un país con libertad en el Mar de las Antillas.

Confieso además, y esto es lo más importante que quiero dejarte, que supe desde entonces cuánto miedo me tenían. Me dieron el título de Don, propio de los caballeros. Pero leí con cuidado las minutas del real nombramiento. Y el Rey dijo en ellas que se me concedía la insignia esperando de mis obligaciones, mayores adelantos, en que debía poner todo mi desvelo y aplicación. La advertencia fue mayor que el honor. Me quisieron comprometer con ellos, para siempre.

Yo, por mi parte, respondí interpelando al mismísimo gobernador Francisco Danio Granados de que con la paz, mis marinos no tenían trabajo, y que semejante situación conllevaba un gran riesgo, ya que podían, por ser gente tan despechada, quitar a las gentes las armas que se hallaban en poder de algunos, y optar por un levantamiento. El hombre entendió la amenaza velada. Pero me detuvo una sola pregunta.

¿Podía transformarse un mulato en libertador? Yo había pensado que el riesgo marítimo lograría superar las diferencias de limpieza de sangre, y que se podría, pero no fue así.

Enfrentados al peligro de una rebelión, que muy bien puedo yo dirigir para la separación de España, a partir de ese instante y por esa razón, varios vecinos principales del Cabildo de San Juan me convirtieron en su enemigo. Se quejaron ante el Rey Felipe V de que un mulato y zapatero fuese más que los hombres honrados de primera clase de la ciudad de San Juan, y alegando con mentira insidiosa que fueron ellos, los españoles, los que defendieron con sus propias vidas la integridad de Puerto Rico.

Las familias de primera en San Juan, mediante cartas en los parajes más públicos del Deán Martín Calderón, mi principal enemigo, han llegado al extremo de conturbar los ánimos de la vecindad, solicitando públicamente mi muerte. En ese momento, y por única vez en su vida, tuve la honra de que mi padre, el canónigo comisario del Santo Oficio y Juez Provisor Doctor don Juan de Rivafrecha, le escribiese al Rey, intercediendo por mí y salvándome la vida. Ya se lo podré agradecer en el otro mundo.

Olvidada la rebelión de los once años, mi destino volvió a cambiar al vaivén de allende los mares. Se le hizo a España necesario reconstruir el corso y yo tuve que volver a empezar. El Rey ordenó a sus virreyes de la Nueva España, audiencias, gobernadores y oficiales reales en las ciudades, villas, lugares y puertos de las Indias y a los corregidores, alcaldes mayores y ordinarios y a los demás jueces y ministros y justicias, que me atendiesen particularmente, dando todos los auxilios que necesitare y guardándome y haciéndome guardar, para que yo pudiese deducir mis derechos, pues no era justo –dijo Su Majestad– que experimentase los contratiempos que hasta allí había padecido.

Con ese permiso, y con la experiencia adquirida, esta vez busqué aliados en caso de tener que llegar a un levantamiento, y me lancé a relacionarme con los comerciantes de este mar nuestro que no fuesen españoles, en secreto, nunca por escrito, y al margen de banderas y estandartes religiosos. Le pedí a mis aliados que persona ninguna por amigo que fuese de por allá ni de por acá llegase a conocer nuestras intenciones.

Me apoyó en eso siempre quien sólo lo sabía, mi confesor, el señor Obispo don fray Pedro de la Concepción Urtiaga, que en 1715 se retiró a convalecer y murió en mi finca de Cangrejos.

En la defensa de mi patria, me distinguí otra vez contra el ataque extranjero a Vieques o Isla de los Cangrejos en 1718 con dos de mis goletas y 289 milicianos de todos los partidos, entre ellos 65 negros libres del caserío de Cangrejos. Regresamos con 100,548 pesos, pero los funcionarios de la Corona opusieron reparos a mi participación en las presas. Aun en mis mayores momentos de servicio triunfal, no se me reconocían mis méritos.

Me temo que lo que más les preocupaba era darme los cañones y otras armas, atemorizados como estaban de que los usara para la libertad de mi país. En ese momento, comprendí lo poco que le importaba mi obra a mi Señor, y lo mucho que me temía.

Hice algo más. Establecí relaciones con los holandeses para proveerles de naves provistas de patentes de corso, y con la gente que tenía en mi seguridad, dirigirme a Curazao y Venezuela a cargar productos de Europa. Decidí, además, lanzarme a las frías aguas del Atlántico Norte.

Capturé, inclusive, una fragata inglesa a la altura del puerto de Filadelfia, y la traje a San Juan. Mi patria líquida, este Puerto Rico transeúnte, pueblo del mar, la extendí yo primero hasta las colonias inglesas de Nueva Inglaterra.

Durante los próximos veinte años, fui el hombre más poderoso de Puerto Rico. Aun más que los gobernadores que enviaba la península. En 1719 tenía veinticuatro barcos, 250 esclavos en mis haciendas de campo, mercadurías y diferentes propiedades que llegaban a más de ciento cincuenta mil pesos. Tenía ingenios de moler caña con todos sus cobres y aperos, las tierras de mis plantaciones de caña como La Candelaria en Bayamón y fincas para otros productos para la alimentación de los negros en Cangrejos, un tejar para fabricar ladrillos y tejas, abundante ganado caballar, asnal, mular, porcino, vacuno, ovino y caprino, y trece casas de piedras y tejas en San Juan. Diez de ellas estaban en la calle de Santa Bárbara, que va a la Marina de la calle San Justo, porque estaban inmediatas al puerto. En la Plaza de Armas tenía otra, dedicada a acoger a los Obispos, de mi propio pecunio. Y ese mismo año creé la capellanía vitalicia para tu hermano Vicente, que se unió a la Iglesia, y que resultaría la razón de su muerte.

Cuando se celebraron elecciones en 1719 para los cabildos, yo había reemplazado a la corona. Ya habíamos constituido un país, y era nuestro, este amadísimo Puerto Rico.

En esos años conocí a tu madre Ana Muriel, que vivía en el barrio de Santa Ana, blanca y serena, y nos mantuvimos en amistad cuatro años más o menos. Agradecida a mis galanterías, le causaba mayor placer el que, en San Juan, la misa no comenzaba hasta que llegaba mi mujer, con su negrito faldero y su esterilla, y hasta que no quedaba gente en la ermita no salía ella, a quien esperaba yo con el señor capellán, que nos acompañaba a nuestra casa habitación.

En mi casa propia, de dos plantas, había más que en todas las casas de Puerto Rico, como asimismo, en mis almacenes. Como sabes, mi más preciada posesión es la cajita de pino con reliquias de las astillas de la Santa Cruz, que por la presente te lego, a ti, y a tus hermanas carmelitas calzadas de claustro en el convento en esta ciudad de San Juan, que las conserven.

Tuve inclusive que hacerle préstamos al gobernador Francisco Danio Granados para cubrir los haberes de la guarnición, otra vez para proteger a la Isla y así lo reconoció el habanero Enrique Bruno a la Audiencia, diciéndole que era yo el que tiene proveída aquella plaza de San Juan, y no el Gobernador.

Este ingrato, sin embargo, se alió con mis enemigos interiores, y me sometió a tres indignos procesos, por ocultación de esclavos, por costumbres licenciosas y por comercio ilícito encubierto con las patentes de corso. La verdadera razón fue que yo poseía un verdadero arsenal, cien escopetas con sus llaves, diez mil balas, cuatro mil piedras para chispa, dieciocho pistolas, cien morteros, y trescientas balas de cañón, con que hubiera podido armar un pequeño ejército separatista, cosa que se me ocurrió más de una vez, y que hoy confieso me arrepiento de no haber hecho. Lo que más le preocupó, estoy ahora seguro, es que tenía en mi bodega veinticinco banderas de todas las naciones, y que algún día podía unir una nuestra, la de Puerto Rico.

Vi cómo para evitar el mayor poder de los pardos libres, los gobernadores comenzaron, a partir de 1720, a traer y regar por los montes miles de labradores esclavos blancos secuestrados en las Islas Canarias, a los que los naturales comienzan a llamar jíbaros, un mote de origen indio, y que ya suman más de veinte mil. Algunos de los míos han creado disturbios en el puerto de San Juan cuando llegan esos otros, por el temor de que se nos apoderen de la patria que es nuestra hoy, Puerto Rico.

En ese momento, llegué a dudar, confieso y me arrepiento, de que mi pueblo quisiese la libertad, ahora lleno de canarios blancos y analfabetos recién llegados que hasta estaban siendo bajados del monte para elegirlos en los cabildos, y solicité y obtuve licencia para abandonar la Isla e instalarme en Cuba, lo que no sucedió, porque una vez más, la Divina Providencia, en la persona del nuevo Obispo fray Fernando de Valdivia, me disuadió de ello, convocándome a nombre del fervor del pueblo a mi favor, por Puerto Rico.

Y así fue que puse mi caudal bajo la salvaguardia de ese Obispo don Fernando de Valdivia, que desde 1719 regía la diócesis, quien fue tan generoso de informar de las maquinaciones diabólicas en mi contra para despojarme de mis bienes, y de jurar en una comunicación a Madrid, mi lealtad al Rey.

Mis enemigos, hija mía, llegaron a hacerme una acusación que por tu castidad no comprenderás, y sobre la cual no tengo que hacer confesión alguna, por falsa. Dijeron que el Obispo no dormía conmigo, porque no le acusara la Inquisición. Puedo asegurarte a ti y a los que lean y entiendan, que el Obispo no padecía de tales males herejes, y que sólo la insidia lo acusó.

De hecho, en Cádiz corrían rumores desde Madrid que escandalizaban, sobre el Obispo y yo. Los que los regaban lo achacaban a las alegadas salvajes costumbres de criollos noveleros y sus trapazas. En secreto, por lo delicadísimo de la acusación, el Rey envió a uno de los ministros de la audiencia de La Española, a investigar.

Este me dijo, al llegar, que venía con la encomienda de indagar sobre lo que llamaban, con ese personalismo trágico que nos caracteriza, los enriquistas y antienriquistas en San Juan.

El Oidor secreto escuchó a los delatores y a los acusados, y concluyó que eran los delatores los que, fundados en la venganza, tenían alterada e inquieta a la ciudad e Isla. La Audiencia de Santo Domingo se ocupó de desechar las cábalas traidoras. Allí mismo doné todo lo que me debía la mitra, a favor de la catedral donde había recibido las aguas del bautismo, ayudando así a aliviar su pobreza, con el propósito de obligar a mis enemigos a tratarme con más decencia. No lo logré.

El 9 de diciembre de 1722 a las cinco de la tarde el gobernador Francisco Danio Granados me envió a buscar con frases amistosas, y luego que nos tuvo en su casa en La Fortaleza, nos prendió y nos remitió al Capitán Antonio Paris al Castillo de El Morro, antes de que pudiera yo organizar un levantamiento. Estuvimos yo y los míos presos nueve meses en un calabozo contiguo al mar, que tenía más de una cuarta de agua que nos llegaba a la rodilla, y todas las paredes manando agua salada. En las calles, cuando mis negros fueron a una cabalgata en mi defensa, los vejaron los de primera, celebrando mi prisión. Te confieso, hija mía, que ese fue el momento más difícil de mi vida.

Te confieso, también y sin embargo, que no me quedé dado.

Mi mayordomo, Antonio Camino, huyó a La Habana. Yo tenía en esa ciudad varios vecinos que me estaban muy agradecidos, entre ellos oficiales de una compañía de milicias que habían salido a la restauración del presidio de Pensacola en la Florida, y a quienes yo había restituido a esa plaza en mis barcos, luego de ser capturados por los franceses y entregados en Madrid. Les propuse en secreto y nunca por escrito, que nos reveláramos en Cuba y Puerto Rico. No fue posible, pero sus esfuerzos e influencia en Madrid lograron que me sacaran de El Morro.

Sin embargo, muchos seguían diciendo que yo había soliviantado a la infantería usando como medio la influencia que tenía sobre el Obispo. Era, puedo confesar esta noche, verdad. No fueron cuestiones de cuentas las diferencias mías con la gobernación, sino de amor a mi patria, pero hube de mantenerlo todo en secreto hasta hoy.

Todas estas contristaciones las contuve dentro del silencio de mi paciencia, porque me tiene gran cuenta dejarlo todo al juicio de la Divina Providencia, pero mis enemigos lograron descomponer mis acertados créditos, y trataron de deshacerme de la honra. Se me había destruido el caudal y puéstome la vida en evidentísimos peligros. Protesté en un manifiesto de agravios ante el Rey, pero más que nada, sabiéndome culpable, dejé mi juicio ante Dios, Nuestro Señor, que parece habrá de hacerme justicia contra mis enemigos cuando ya esté entre los muertos.

Mis enemigos exteriores fueron los ingleses, que nos concebían a los naturales como una manada degenerada de satos mulatos, que éramos la escoria de la humanidad. Confieso que no me molestaban, sino que me enorgullecían, estos ataques de los blancos extranjeros, a los cuales, gracias a nuestra maña y a los poderes de la Divina Providencia, metimos el miedo entre cuero y carne. Usaba contra ellos en alta mar, una enseña azul marino, que a la distancia, parecía la negra de los piratas, y que algún día podía llegar a ser la bandera de mi patria. Y fue efectiva.

Debo dejar consignada la razón de que en efecto yo había solivantado a la población en defensa de la patria, y que no fueron los peninsulares los que defendieron y salvaron a Puerto Rico, que fueron mis solivantados puertorriqueños, aquellos dos mil vecinos mulatos, que con tanto orgullo comandé, y mis guardacostas, que surcaban arriba y abajo el mar, en defensa de esta isla bendita y de sus naturales, los puertorriqueños.

Por esa razón, padecí la envidia de los españoles. Sabía, por mis espías, que escribían al Rey diciendo sentirse avergonzados de mí, por ser de color pardo, y por no descender de los primeros conquistadores de esta Isla. Pero aun así tuvieron ellos que recurrir a mí para la reconstrucción de la Catedral. Animé a todos para su reedificación, y habiéndola encontrado terriza, la asistí con el ladrillo para dejarla decente, habiendo dado antes toda la teja para cubrirla, sin costo alguno para la Iglesia.

Los naturales, a diferencia de los españoles, me adoraban. Hice la caridad con mis convecinos, y para cuantas urgencias surgieron y para el alivio de los particulares, forasteros y vecinos, dediqué mi fortuna, atendiéndolos con magnanimidad, especialmente luego de las tormentas de 1718, que habían derribado todas las sembraduras de casabe, ganado, frutos y casas, no hallándose casabe, que era el pan de esta Isla.

Era mi casa un manantial para los pobres, según dijeran ellos mismos, y acudían tantos, que hasta medianoche estaba yo con gusto repartiendo melado y maíz para su sustento. Pero a los españoles no les gustaba la presencia en mi calle de lo que ellos llamaban con desdén la turba de mis compatriotas. Otros se quejaron de que no había sosiego en la vecindad. Pero el Obispo Fernando de Valdivia se ocupó de escribir al Rey y dejarle saber, que el público me amaba con efusión, y que ese fundamento ante el Tribunal de Dios no podía desvanecerlo la astucia diabólica de mis enemigos. Era la gente de mi país, y así se lo decía a todos. Y mi país era Puerto Rico.

Todas las noches reunía una tertulia en mi casa. Ahí fue donde se volvió a decir que yo reunía a la gente para sublevarlos contra la Corona. Y te puedo decir que ganas no me faltaron.

Más de una vez tuve que proferir contra oficiales reales palabras indecorosas e indignas de su estado. Pero es que los españoles, hija mía, nunca quisieron darse por enterados de que ya, bajo sus propias narices, vivía un país, el mío. Confieso que aplaudí y celebré los pasquines y coplas y versos satíricos e inflamatorios que contra los españoles hicieron entrañables amigos míos como don Raimundo Ferrer, asiduo a las tertulias. Les dijimos borricos, embusteros, soplones, cagajones, animales, ladrones, y otras miles lindezas, y cuando se me preguntó por esos mismos si yo era su promovente, no lo negué, sino que dije que en caso de celebrarlo, no le hacíamos daño a nadie. Eso les enfureció más.

Uno de ellos, el capitán Francisco Valentín de Urquizu, se quejó en 1720 al presidente de la Audiencia de Santo Domingo de que era yo quien mandaba en Puerto Rico, y dijo de tu padre lo que aún al día de hoy, en la antesala de la muerte, me enorgullece más. Dijo que yo le había causado apartarse de su patria y pasarse a Santo Domingo. Confieso, son muchas ya las confesiones de esta noche por si no llega a tiempo la absolución de mis frailes, que le mandé a prender y lo hice refugiarse sabe Dios donde durante un año, y así una cosa le enseñé; que mi Puerto Rico era su patria.

Este mal habido no se dio por vencido, y cuando regresó a Puerto Rico, volvió a enviar denuncias de toda clase, diciendo que cuando llegaba un nuevo gobernador tenía que ir a mi casa primero que a la del gobernador, lo que te confieso era cierto. Pero exageró cuando dijo que esta pobre ciudad estaba sujeta a un mulato zapatero, tanto que no se hace otra cosa que lo que él ordena y quiere. El idiota de Valentín de Urquizu reconoció que fue a mi casa para que yo o le hiciera daño. Pero entonces se refugió en lo que verdaderamente le dolía, y le mandó a decir al Rey que los vecinos nobles y de prendas estaban sujetos a un nieto de una negra venida de Guinea.

Entre 1724 y 1731 pasé los años más tranquilos y fructíferos de que gocé en mi Mar de las Antillas.

Mis barcos se hicieron dueños del mar. Lo convertí en mi patria líquida. Te aburro, estoy seguro, con la lista de los puertos hasta donde llegaron mis veleros: Curazao, Cartagena de Indias, Santo Tomás, Trinidad, La Habana, San Eustaquio, Santa Lucía, Martinica, Florida, Santiago, Santo Domingo, Isla Margarita, Cumaná, Maracaibo, Jamaica, Guadalupe, Tortola, Caracas, Anegada, Antigua, Nevis, Jacmel y Veracruz. Y más allá de nuestros mares, llegaron hasta la Casa de contratación en Cádiz y hasta Filadelfia en la Nueva Inglaterra.

Yo fui, mi querida Rosa, durante treintiún años, el sostén de esta patria, Puerto Rico. Mi único hijo varón Vicente era ya mi heredero, llenándome de orgullo. El destino me sonreía. Los factores del South Sea Company inglesa me titularon inicialmente el "Grand Arch Villian", pero en reconocimiento de mi poder me nombraron su factor y arrendatario por cuatro meses en 1718. Sin embargo, entre 1728 y 1733, la mismísima cámara de los Comunes de Inglaterra en Londres deliberó en catorce sesiones sobre cómo acabar conmigo, y enviaron a Drake, Douglas, Benete, Aubin, St. Lo, y Richard para represalias contra mis naves, que todas fracasaron ante el valor de los míos.

Ese homenaje rendido por el odio, sin embargo, tuvo otro filo de sable, y desató la envidia, no ya de las autoproclamadas personas distinguidas a quienes habíamos desdeñado en nuestras coplas y sobre quienes habíamos triunfado, sino ahora, con más gravedad, entre los gobernantes peninsulares en Puerto Rico.

Se me ha dicho que en un informe a su gobierno, estos señores dejaron saber, sembrando cizaña, que el Gobernador no era otra cosa que una criatura mía, y que todos tenían órdenes de Su Majestad Católica de proteger y apoyar los armamentos míos, y que el mismísimo Presidente de la Audiencia de Santo Domingo no se atrevía a contradecirme, ya que yo había causado que un Oidor que habló en mi contra, sufriera en su persona el corte de su nariz y grandes cicatrices en su cara, por el mero delito de ofenderme. No voy, en el umbral de la muerte, a negar que todo ello fue cierto, pero lo hice para dar a respetar a Puerto Rico.

Mi momento de gloria llegó en 1730, cuando el gobierno de Su Majestad Británica decidió objetar formalmente mi propia vida ante Su Majestad Católica en Madrid, pero como suele acontecer con el destino, en ese mismo momento comenzó mi desgracia final.

España, debilitada, tenía que acercarse a Inglaterra, y no solo dejé de serle imprescindible, sino que me convertí en molestoso a los diseños imperiales de Su Majestad. Los españoles trataron de detenerme, exigiéndome que me comportase como un buen súbdito español, para complacer los ingleses.

Como buen puertorriqueño, no les hice caso. Mis guardacostas siguieron cursando los mares, y ni la Corona ni los gobernantes de la isla, se atrevieron a interrumpirme. La razón era sencilla. Hubo años, como el 1738, en que ni un solo barco de ninguna clase llegó a San Juan de la península. El país dependía de mí, y solo de mí, para proteger a Puerto Rico. Y lo que es más importante, de mí dependían mis compatriotas.

Ahora el peligro era mayor, pues ya yo había ido fundando una patria en el Mar de las Antillas. Trataron de asesinarme.

Ofrecieron la gente de primera de la banda acá, cien pesos de plata mexicana por mi muerte. Mi presunto asesino, el capitán Isidro Álvarez de Nava, fue inspirado por mi viejo enemigo Francisco de Allende. Yo era el blanco principal de los conjurados, pero cometieron el error de incluir al gobernador. Enterado por uno de mis espías, en 1725 el gobernador ordenó arrestarlo, y fue internado en el Castillo de la Cruz, de donde se fugó después y se refugió en la Catedral de donde pasó a Madrid. No se pudo enjuiciar a un refugiado, pero fracasaron.

Sin embargo, lo que mis enemigos de primera no pudieron hacer mediante el asesinato, lo lograrían de otra forma.

En 1731 llegó a nuestras playas el enviado del demonio, Matías de Abadía, un mero Sargento Mayor del Regimiento de Saboya. Con esa maldición con que el destino se ensaña con nosotros, de estar a la merced de otras gentes de allende los mares, España se había conciliado otra vez con Inglaterra. Si había sido yo el defensor de la Isla, ya no era necesario. Hasta me quisieron negar el uso del título de Caballero de la Real Efigie. Y el Rey le encomendó a Abadía conciliar los ánimos entre los vecinos de Puerto Rico. El destino, que en el acontecer de esta querida Isla siempre está más allá del horizonte, se viró.

Era Abadía el más inescrupuloso oficial que Su Majestad Católica había enviado a Puerto Rico. Por su cuenta, se envolvió en el contrabando con ingleses, franceses y daneses, y tenía cinco tiendas manejadas por esbirros suyos, con el designio de monopolizar el comercio de la ciudad, así como el de todos los barcos de aprovisionamiento que llegasen a San Juan. Y para ello, tenía que destruirme.

No lo hubiese logrado sin la traición de mi mayordomo, Antonio Camino Garijo, a quien para mi desgracia, había hecho dueño absoluto de mi hacienda y había encomendado la misión separatista a Cuba. Me robó en un viaje a Cádiz, le reproché, y reaccionó violentamente. Se embarcó para España, y Su Majestad Católica el Rey encontró, con la delación de mi separatismo, la víctima que había que sacrificar en aras de la nueva amistad con Inglaterra. La paz en San Juan era el objetivo. Los indianos como yo, y todos los puertorriqueños, éramos ahora una mala yerba.

En 1734, en medio de un período más que violento en nuestros mares especialmente con barcos provenientes de las colonias inglesas en Norteamérica, este canalla le escribió al Rey que yo había cesado de apoyar a la Corona, porque había sufrido grandes pérdidas y me encontraba sin recursos, y pidiendo para sí, un barco guardacostas y un par de barcos corsarios. Los míos, dijo, tenían poco entusiasmo, falta de tripulación, barcos y dinero con que mantenerlos. Era todo una mentira vil, pero esta vez le creyeron convenientemente en Madrid. Sus barcos piratas eran ahora los únicos que, desde Puerto Rico, surcaban los mares.

Me encausaron, en menos de cuatro años me sometieron veinte pendencias y me embargaron todos los bienes en 1735, y terminó mi carrera como armador. Eso lo pude haber sobrellevado. Pero ese mismo año expropiaron la capellanía vitalicia de tu hermano Vicente, y se nos murió allí mismo, de pena. Luché contra ellos, pero en esa lucha ellos mataron a Vicente, y su muerte me destrozó el corazón y me quitó el ansia de vivir.

Esa noche de su muerte, anegado en mi llanto, asediado por culpas, caminé hasta el convento de los dominicos, donde estoy mi última noche. El gobernador, el ladrón juzga por su condición, solicitó y consiguió de la Iglesia la autorización para registrar el convento, para buscar ciertas cantidades que suponía yo había traído al refugio. No quedó celda sin inspeccionar, incluida la del prior. Nada hallaron. Pero un nuevo Obispo, Francisco Pérez Lozano llegó en 1738 e hizo claro el propósito de toda aquella injusticia, diciendo que tenía orden de acabar con el poder del mestizaje en Puerto Rico. Nos quitaban la patria, hija mía.

Cuando en 1739 España e Inglaterra volvieron a enemistarse en guerra por culpa de la pérdida de la oreja de un contrabandista inglés en manos de un guardacostas nuestro, la Corona me volvió a necesitar. Y el Consejo de Indias pidió que se me pusiera en libertad, se me oyera en justicia, y se me restituyeran mis derechos. Esta vez fui yo el que dije no.

Una cosa me alegra. Hace cinco meses, en el día de San Pedro, murió el Gobernador Matías de Abadía, mi Némesis, y llegan desde Madrid noticias de que un ministro del Rey propone que se haga libre el comercio en nuestros mares, pero cuando ya yo no tengo a quién legárselo.

Por otro lado, los frailes me traen de la dársena noticias de mis conocidos en el puerto de Filadelfia, de que allí comenzó a publicar un periódico en 1730 un tal Benjamín Franklin, que dice que Dios ayuda a los que se ayudan a sí mismos, y que se dice lo hace para despertar a la rebelión y llevar a la unión a los colonos ingleses de la Nueva Inglaterra. Puede que algún día sea esa misma gente el mayor castigo contra las Españas.

Pero me mortifica otra cosa. Sé que, por venganza, o más aún por temor a que con el comercio libre me convierta en el líder de los que sigamos el ejemplo de Portugal y las colonias de Nueva Inglaterra, me han envenenado la bebida que me ofrecen los médicos dizque para curar mi enfermedad. Las personas de distinción en San Juan son todas cómplices de esos médicos. Todos son de la península, y quieren eliminar al hombre más poderoso que ha dado Puerto Rico. Al que puede fundar la patria libre.

Advertido de que se me quería muerto, pedí sagrado a estos buenos frailes. Pero ni aquí pude sobrevivir. Y desde este asilo te escribo estas últimas cuartillas, hija mía. Llévaselas a los amigos aunque tengas que romper, por un momento, tu voto de clausura, y asegúrate de guardarlas para la posteridad.

Ya no es nada lo que nadie puede hacer por mí, pues solamente me falta tocar la campanilla que los buenos frailes me han dejado para que me impongan los santos óleos, escuchen mi confesión y me den la absolución, si es que llegan a tiempo, que no lo parece, antes de irme, resignado y esperanzado de unirme con tu abuelo y tu hermano, junto al Ángel de la Muerte.

Te dejo la certeza, sin embargo, de que mi derrota no es la de los paisanos de esta Isla, y que no es ni por mucho final. Un día, aunque sea dentro de muchos años en el futuro, el espíritu de tu padre será convocado y se erguirá de nuevo sobre las olas de este Mar de las Antillas, y rugirá sobre los valles y los montes de nuestra hermosa isla, junto a un pueblo orgulloso de ser mulato y antillano como yo, con un grito y un grito solo: ¡hemos triunfado los puertorriqueños, la isla es nuestra!

Este pueblo es el mío, esta patria es la mía, y los míos y los tuyos somos país. Yo los conozco bien. Sé cómo viven. Y somos todos amantes de la tierra, hospitalarios, con genio audaz y soberbio, solidarios, noveleros, estoicos, serenos, sobrios en el comer y excesivos en la bebida, fiesteros y jugadores, al mismo tiempo gozadores del sexo en lo terrenal y muy religiosos en lo espiritual, confiados con razón en la Divina Providencia, que se ha de ocupar de nuestro sobrevivir. Eres, hija, mía, como yo, puertorriqueña, y así seremos siempre, y triunfaremos.

Con la venia de Dios Todopoderoso, se despide de ti tu padre que se lleva el recuerdo de tu amor y la esperanza de tu obra, y firma hoy Año del Señor de 1743, Don Miguel Enríquez, Caballero de la Real Efigie, de San Juan de Puerto Rico. Hasta siempre.

No le cupo duda a Julián de que el espíritu vivía.

Convencido, decidió que haría una visita a la pequeña casa en la Caleta de las Monjas, donde había creído ver entrar a Violeta Rodríguez, en busca de la resurrección del calcinado.

14
Resurrección y Apocalipsis

Siempre he odiado guiar. Abandonar el recinto en el tapón de la hora de salida, en medio de las altas verjas y portones de alambre, los cientos de automóviles estacionados en las aceras, la maleza ocupando el territorio entre el cemento quebrado, por encima de los hoyos en el bitumul, es siempre una tarea desagradable, que corona la decadencia de la Universidad.

Ser mujer en el Puerto Rico de los noventa no es cosa fácil y menos en esta Universidad machista, oportunista y olvidadiza del país – pensó la profesora Ana Violeta García Rodríguez, mientras guiaba, sin rumbo muy certero, hacia el Viejo San Juan.

Hay que doblar a la derecha y entrar en la Avenida Ponce de León (otra con el nombre de los conquistadores) y pasar el Santo Asilo del Auxilio Mutuo y Beneficencia, con su bandera rojo y grana aún ondeando más alta que la puertorriqueña o la norteamericana (aún sobreviven las instituciones españolas). No sé cómo se sentirá mamá, pero tengo que hacer el esfuerzo por desentenderla del sueño de que papá esté vivo. Los canallas que se han inventado esta pantomima tienen que tener una razón, y habrá también que desentrañar ese misterio. Mi recuerdo de papá es difuso, pero recibo aún su aura de certeza, determinación y valor. Quizás fue mejor que muriese en el fuego en Guano y que no viese este podrido y degenerado Puerto Rico en que vivo.

Los años de la infancia los recuerdo solamente por la dedicación de mamá, la beatitud de las tías, y la ferocidad del abuelo. Nunca nos perdonó a mamá y a mí el haber vivido con "ese jodido independentista". Las pocas veces que mamá volvió al pueblo, el abuelo se entretenía en pellizcarme y darme coscorrones, como tratando de vengarse en mi carne, de la burla que había padecido cuando su hija se había fugado con el prieto universitario revolucionario. No lo quise, ni le temí. Es tan solo una memoria agria, triste, que se esfuma.

Hay que detenerse en esta luz de tránsito. Siempre se me olvida, y más de una vez he tenido que pagar multas de tránsito, aunque nunca me he llevado a nadie por delante. Ya cambió la luz.

Parece mentira que estos grandes edificios, estas murallas de cemento y vidrio, estén apretujadas alrededor de esta avenida tan estrecha y tan incómoda. Los grandes de este país nunca se concibieron como tales, y por tanto nunca construyeron como tales. Todo es pequeño, abigarrado, como la mismísima Isla.

El sector bancario es un hormiguero de autos y de gente.

Aquí están el Chase Manhattan, el Nova Scotia, el Citibank, y los otros mogules financieros norteamericanos, que ahora parecen comenzar a irse. Y empiezan a aparecer en esta "Milla de Oro" los letreros del Central Hispano, el Vizcaya, el Santander, los nuevos en la avenida, en esta especie de reconquista económica de España. Aquí están también el Banco Popular y el Banco de Ponce, recién conglomerados, los únicos bancos boricuas que aún existen, luchando por internacionalizarse, por insertarse en otros mundos que no sean el norteamericano, para sobrevivir.

A unas cuadras de aquí está mi primera escuela, aquella galería de salones cuadrados de cemento y ventanas de aluminio importadas de Miami, construidas alrededor de una estatua de Cristo, y poblada de monjas y curas. Nunca he querido saber por qué mamá decidió colocarme en semejante lugar, donde ni sus creencias ni las mías (que ya se iban formando a su calor) respetaban mucho la ortodoxia de las monjas americanas y los curas españoles, que la Iglesia se había visto obligada a importar, pues no había logrado mucho en cinco siglos por motivar las vocaciones católicas isleñas, que escaseaban.

Muchas son las ocasiones en que mandaron recado a casa de que la madre debía personarse en la escuela para responder por alguna indisciplina de la hija. Mamá siempre fue firme: "diles que ya tú tienes edad para responder por ti misma. No iré". Eso me llenaba de orgullo, y más de una vez me enfrenté sola a aquel cura viejo, feo y (luego supe) libidinoso, que se empeñaba en "meter en cintura a esta fierita", muy particularmente el día que convoqué con éxito a las compañeras para, con el puño en alto, respaldar la manifestación de obreros en huelga que atravesaba la avenida frente a la sedentaria y conservadorísima sede del colegio y de la Iglesia del Sagrado Corazón de Jesús en Santurce.

Fue en el paso a la escuela superior donde comencé a saber quién iba a ser. Una de las pocas maestras laicas, atenta a mis inclinaciones, me alentó hacia la poesía y la declamación, quizás viendo en mí esa melancolía terrible que era evidente a todas luces, y que comenzó a volcarse en mis borrones. Rosaura, que así se llamaba, me prestó sus poemarios de José de Diego, de Julia de Burgos, de Francisco Matos Paoli, intuyendo y alimentando la vena puertorriqueñista que sembraba cada día, con amor, mamá. En uno de los baños, luego de la clase obligatoria de cultura física, me bajó por vez primera la sangre entre las piernas, hecho que no me consternó por haberme advertido mamá, con años de anticipación, de qué se trataba. Y me hice mujer, puertorriqueña, y poeta.

En Santurce estoy ya, y me arropa la vista la decadencia de la vieja parada 23, con sus calles llenas de basura, sus cines cerrados, sus vitrinas cubiertas de planchas de madera, el pintorreteo de consignas ininteligibles en paredes y setos. Ahora sus calles y aceras están obladas de dominicanos indocumentados, que se apoderaron de un sector de la capital que se venía a menos. Hay que pensar qué diría de ese destino el Conde de Santurce, nuestro primer heráldico criollo, dueño y señor del hato hace siglos. Al fin y al cabo, nos llegaron los vecinos de Haití a los que tanto miedo le tuvieron. Y aquí están, ahora.

A contrapelo, vislumbro el Centro de Bellas Artes de oronda arquitectura moderna y tropical, y, frente a él, la Torre Europa, producto del nuevo "boom" de construcción de los años noventa, empujado por la neo-invasión de los bancos españoles. Los europeos parecen tener una nueva fe en esta isla y su gente, que ni algunos puertorriqueños ni los norteamericanos parecen tener. Caray, tengo que parar otra vez. Otra luz roja.

Estudié con dedicación y tuve los resultados previsibles, siendo una de las mejores alumnas de la escuela. Ese día imborrable, en que, escribiendo una monografía sobre actualidades, me tropecé con los recortes de prensa sobre la huelga de 1948, vuelve a mi memoria. Allí estaba, en primera plana, el retrato de mi padre muerto. Fue el mismo día que, por las razones que el destino me haya querido deparar, conocí en la mesa aledaña a Roberto, aquel muchacho miope, triste e inseguro, que sin embargo, o quizás (aún me pregunto) por esa razón, me atrajo. Este otro tapón en la esquina con la Avenida John F. Kennedy (otra vez los extranjeros) no parece progresar nada. Ya empieza a calentarse el auto, el aire acondicionado se está dando por vencido, y muy pronto tendré que detenerme y apagarlo todo por un rato, no vaya a ser que el carrito me deje a pie otra vez.

Esperar, por Roberto, fue mi sino en los últimos años antes de entrar a la Universidad. Venía de una familia muy pobre, su raja era evidente en su pelo ensortijado, y ninguna de las muchas jovencitas blancas y empolvadas matriculadas en el Sagrado Corazón le hacía el menor caso. Había quizás otra razón. Roberto era un hombre alto, de modales finos, de mente ágil, con la capacidad intuitiva de hacer el verso más hermoso a la menor provocación, pero al mismo tiempo era un hombre extraño, tenso, perseguido por demonios que no conocí hasta mucho después.

Nos encontrábamos luego que él terminase de trabajar en la biblioteca para pagar su beca, y yo esperaba en los bancos del jardín de la escuela (que ahora es un estacionamiento, pues en aquellos años los estudiantes no teníamos automóviles, y ahora todos lo tienen.) A la sombra del mismo frondoso árbol nos sentábamos a leer y a compartir el último libro de poemas que uno de los dos hubiese comprado: Pablo Neruda, Rubén Darío, o el favorito de toda la vida, Federico García Lorca.

Ya puedo atravesar el túnel de Minillas y tomar la Avenida Baldorioty de Castro (por fin uno de los míos), con su minúsculo obelisco (los más pequeños han sido siempre para los nuestros), bordeando la laguna del Condado. Luz verde por fin, cruzo el puente que separa la isla de Puerto Rico de la isleta del Viejo San Juan. Ya he salido de la nueva ciudad, moderna y abigarrada. Vuelvo una vez más a la ciudad vieja.

Puedo mirar al cielo y al mar, en la brillantez incandescente de la tarde, y respirar el aire cálido pero movido por la brisa (he tenido que apagar el aire acondicionado). Ah, las primeras noches en el Caribe Hilton (que ahora yergue ante mí su torre modernísima contra el cielo), cuando iba con Roberto a los pocos bailes estudiantiles que entonces se permitía celebrar la muy importante hospedería. Allí nos dimos Roberto y yo el primer beso, de noche, frente al mar. Fueron meses bonitos, en el salón de baile de la primera hospedería administrada por Conrad Hilton fuera de los Estados Unidos, a invitación de Teodoro Moscoso, el empresario arquitecto del Puerto Rico moderno. Igual que ese beso, esa modernización se convirtió en vicio.

Entramos juntos a la Universidad. Y decidimos vivir juntos en un segundo piso de una casa de huéspedes de Capetillo, barrio donde también, supe entonces por mamá, habían vivido mis padres. Mamá no objetó que me fuese a vivir con un hombre sin pasar por los rituales del compromiso y el matrimonio, cosa que era entendible conociéndola, pero que a lo mejor, luego de los resultados de esa decisión, yo misma hubiese deseado que fuese de otra manera.

No estaba preparada para cargar emocionalmente a un hombre. Y Roberto resultó ser un alfeñique, un desesperado de la vida, cuyas angustias, desconocidas para mí hasta que vivimos juntos, se convirtieron en mi responsabilidad. El juego de hacerse pasar por la esposa mientras uno sabe que es el fuerte del hogar no es ni sencillo, ni honorable. Y nunca he estado orgullosa de una relación que más que hacer, deshicimos.

Los celos, las quejas, las exigencias de limpieza de la casa, de platos en la comida, el mal humor, la neurastenia, los llantos, y hasta las noches en que sin explicación desparecía para luego explicar con aliento a alcohol que se había encontrado con los muchachos, no medraron mi determinación de hacer un éxito de la relación. Le quise, no lo niego. Y traté. Pero el mundo se vino abajo el día que la policía lo arrestó en una redada de un bar de adictos a drogas en Santurce. Esa noche le eché en cara su engaño, me zarandeó y trató de matarme con sus manotas en mi cuello. Lo eché de nuestra casa. Salió, dejando todo lo suyo. Desapareció en las entrañas de Nueva York, hasta el sol de hoy.

Cómo puede un hombre convivir con una mujer y, a la vez, llevar una vida secreta de adicción a drogas es todavía un gran misterio para mí. Mamá nunca lo tuvo a mal, ella tiene una explicación y un perdón para todo. Yo, desde entonces, no he vuelto a estar con otro hombre. Me hice profesora, enseño en la Universidad, y vivo sola. Luego de tantos años del hecho, ni me lo explico, ni lo perdono, y la llaga sigue ahí, en el alma.

Sola, angustiada, vomité mi tristeza, y salió sangre de mis labios y nariz. Desde ese día, he padecido en las noches desde mi entraña de esas pesadillas que traen ese sangrar constante en mi almohada, que ni cesa, ni se diagnostica, ni se resuelve. Esa noche, muchas horas después del llanto y de la sangre, busqué en las cajas viejas un regalo que según mamá me había dejado mi padre y que había abierto una sola vez, cuando cumplí quince años. Contenía una pistola Lugger aceitada, con su caja de balas. Envuelta en su paño de balleta, luminosa de aceite, me llamó.

Resistí.

No era la hora de irme de este mundo, y mucho menos por la razón equivocada. Muy por el contrario, con una mera llamada telefónica me hice miembro del Club de tiro de Isla de Cabras, y allí pasé un centenar de tardes, luego de salir del trabajo, venteando mi rabia contra blancos de cartón de todo tipo. Un muy diestro entrenador me enseñó cómo contener la respiración, mirar fijamente entre los pelos y sobre el cañón, halar muy lentamente el gatillo, y colocar balas en el lugar apropiado. Llegó el momento en que podía, de un solo disparo, rajar el corazón, o colocar un agujero certeramente entre las cejas, de aquel cuerpo negro en cartón blanco que se me podía antojar cualquiera. La rabia se fue agotando sobre el arma y contra los objetivos.

Un día cualquiera, volví a cubrir el arma con el paño aceitado, coloqué la caja de balas a su lado, cerré la vieja caja de cartón, y la hice reposar otra vez entre mis cosas, mis recuerdos, mi destino. Para evitar problemas en los años de los registros y la persecución a los profesores universitarios, mudé la caja. Hoy está allí en el ropero del cuarto de huéspedes en casa de mis tías en la Caleta de las Monjas. Me espera.

Por fin una luz verde, en el semáforo del puente de san Agustín. He salido ya de la isla de Puerto Rico, que queda a mis espaldas con sus avenidas de cemento, sus tréboles de tránsito elevados, sus tapones; y piso con ansia el acelerador para entrar a la isleta, a la primigenia, a San Juan Bautista de Puerto Rico.

La recta junto al mar hacia el Capitolio de Puerta de Tierra está hoy más límpida que nunca. El tráfico fluye feliz en el Viejo San Juan. Las olas arrullan la base del acantilado, el horizonte azul verdoso parece tirado a lápiz contra el cielo azul grisáceo, mientras uno de los múltiples cruceros de turistas sale a alta mar, todavía protegido por una de las barcazas piloto. El alma atribulada por un momento se llena de la vista, de la luz del trópico, de esas cosas que nadie tiene en el mundo más que los puertorriqueños, donde el paisaje alivia el espíritu y donde la luz explica al corazón desde los ojos que hay otras cosas en el mundo además de sufrir y por ende, rabiar.

Hay que embragar el auto para subir la cuesta del macizo Castillo de San Jerónimo, donde ondean ahora las tres banderas: la carlista, la norteamericana y la puertorriqueña, en ese extraño trío de invasores e invadidos, triunfantes y derrotados, que es la lápida que se asienta sobre nuestras cabezas y pesa en nuestros hombros. Enfilo bordeando la barriada de La Perla, con ese nombre tan hermoso, con esa vista al mar tan enervante, y con esa humanidad marginada desde hace siglos fuera de las murallas, como si no perteneciera al país ni hubiese vivido bajo las tres banderas, viviendo y sobreviviendo, junto a los muertos.

Mis manos han dirigido el guía no hacia la Plaza San José y la Caleta de las Monjas, hacia adonde iba, sino hacia la derecha, hacia esos muertos, hacia el cementerio. Bajo la cuesta dentro de la muralla, entro por el estrechísimo portón y se abren ante mí las puertas del cementerio del Viejo San Juan. Me llama mi padre.

He de estacionarme, cerrar el auto (esperanza inútil si hay la determinación de robármelo en este vecindario), y entro al camposanto. Otra vez el viento, la luz, el mar y el cielo son el escenario invitante para el alma. Las blancas lápidas se suceden en una danza de ángeles, urnas, vírgenes, flores, banderas. Me detengo un momento ante la tumba de José de Diego ("haz como el toro que no muge, embiste", me recuerda su voz) y a unos pasos, me enfrento a la sencilla lápida: Miguel García 1924-1948.

Mamá no ha traído las flores esta semana. De seguro se propone venir esta tarde de casa de las tías, a unas cuadras de aquí. No es a llorar a lo que he venido. Me siento en el pretil de la losa, me recojo el cabello que revolotea al viento, miro y me miro. Si Miguel García ha vuelto de entre los muertos, se ha colocado un casco y un disfraz, se ha calzado las botas, ha ido a buscar su pistola, ha montado una motora y ha matado a un hombre desconocido para mí, entonces no está aquí, no está junto a mí. Si por el contrario, descansa en la paz de los justos como él, si está junto a mí, es imprescindible descubrir a quién pertenecen el casco, el disfraz, las botas, la pistola, la motora, y la voluntad de matar. O quizás, me digo, es imprescindible darles la razón a los canallas, y hacer que viva en su memoria, y, lo que es más importante, en su presente, Miguel García, *El Gato*.

No sé si pienso, o si es su propia voz la que me dicta.

Una cosa se me hace clara. Sé lo que tengo que hacer. Salgo del cementerio y el auto está aún allí. Enciende sin dificultad esta vez, y lo enfilo hacia la Plaza de Armas, y hacia la tienda de efectos deportivos que allí existe, al lado de la Casa Alcaldía. Encuentro un estacionamiento, dejo el auto en su sitio, entro a la tienda y compro todo lo necesario. Salgo cargando dos grandes bolsas, con todo el equipo que necesitaré.

Me encamino, a pie, a la casa en la Caleta de las Monjas.

15
El memorando del Procónsul

Recibí, cuando me decidía a bajar hacia la calle, un mensaje del encargado de la carpeta del hotel: "Don Julián, aquí hay un sobre sellado que le dejó otro huésped del hotel". Sin marca alguna de su procedencia, el paquete contenía copia de un extenso memorando, que supe, al ver su título, provenía de Robert Cardon.

No tenía entonces manera de saber por qué Cardón me hacía partícipe de las confidencias del imperio más poderoso de la tierra. Sin embargo, sospeché que le había convencido de que yo no padecía de la ceguera de mis compatriotas sobre la presencia y la ingerencia de ese imperio en nuestra cotidianidad isleña. Además, ya yo no era un extraño al destino de mi patria. Los eventos de los últimos días me hacían, para mi propia sorpresa, partícipe de su historia. Mi escapada existencial había concluido. Averiguaría si era ésa la razón luego de leer el fajo.

Me senté en uno de los sillones del vestíbulo, con el suave oleaje del Atlántico susurrándome a mis espaldas, y comencé a leer. Abría con una carta de trámite al Presidente de los Estados Unidos, señalándole que, cumpliendo con su encomienda de estudiar el "resurgimiento" de los actos de clandestinaje político en Puerto Rico, deseaba comenzar por reseñar el historial de "nuestra" relación colonial "con este pueblo". Buen comienzo, pensé, entiende que ellos son ellos, y nosotros, nosotros.

Me enteré a renglón seguido de que la revisión que emprendía Robert Cardon a fin de siglo había comenzado en 1975, con un estudio de un año por Arthur Borg, el Director Ejecutivo del Departamento de Estado para Henry Kissinger. Pero también señalaba que los estudios sobre Puerto Rico habían comenzado en 1899, principalmente por militares, y que ellos habían prevalecido en la aprobación de la primera Ley Orgánica (Foraker). La base de la indecisión en todos esos años, señalaba el americano, había sido la falta de certeza sobre si admitir algún día a Puerto Rico como estado de la Unión.

Me sentí extraño, leyendo estas confesiones. Incómodo, inclusive. Cardon no era mi amigo, acabamos de conocernos fortuitamente... De pronto, me pregunté si era así realmente, o si había un designio de inteligencia en el encontronazo ante el hotel... No podían ser tan eficientes, me dije, pero me contradije de inmediato... A lo mejor lo eran. ¿Sabría Cardon que yo podría estar escribiendo pronto un libro sobre clandestinaje? –me pregunté–. ¿Querrían afectar lo que yo pudiese escribir?

El memorando de Cardon continuaba, relatando cómo la elite política puertorriqueña se había rebelado pronto contra la indecisión metropolitana sobre la admisión como estado, creando la primera crisis colonial con una huelga legislativa en 1909. El Presidente decidió entonces hacer público lo que hasta entonces había sido secreto, designando oficialmente al *War Department* a cargo de Puerto Rico, "el cual ejerció más poder que ninguna otra agencia de los Estados Unidos sobre ellos desde 1909 hasta 1932", concluía Cardon. Y añadía: "En 1917 fue el *War Department*, contradiciendo la política anterior de Eliu Root, el que recomendó la concesión de la ciudadanía americana a Puerto Rico ante la inminencia de la Primera Guerra Mundial y el peligro del ataque de Alemania".

La próxima oración me sacudió: "Ese fue nuestro error históri-co". Yo, que amparado en esa ciudadanía había hecho de mi vida y la de los míos una vida americana, me encontraba ahora con la revela-ción de que no había sido una concesión gentil, sino una mera estra-tegia de guerra. ¿Se estarían arrepintiendo los americanos...? –me pregunté–. Me pareció claro y evidente. Un rumor extraño me atravesó las tripas. ¿Había vivido yo al revés?

Cardon pasaba entonces a enumerar las múltiples intervenciones del *War Department* en la vida boricua: su oposición a la incorporación de Puerto Rico que tuvo éxito en el Tribunal Supremo norteamericano, su objeción al despliegue de la bandera monoestrellada de Puerto Rico, sus nombramientos de gobernadores y la redacción de sus discursos, su plantaje de espías en la Isla, su objeción a Santiago Iglesias Pantín como comunista, su promoción de coaliciones de partidos locales, su intervención en la vida de Pedro Albizu Campos espiándolo desde 1927, su insistencia en el requisito de alfabetización para poder votar, el espionaje contra extranjeros en la Isla, las expresiones de alarma por el crecimiento del nacionalismo, y lo que es más importante –decía Cardon– la objeción persistente y efectiva a cualquier discusión sobre la condición colonial. Mi país, me dije, ha sido gobernado en secreto por guerreros...

Como si no fuese suficiente averiguar que la ciudadanía norteamericana de la que tanto me había servido era producto del temor al alemán, me sorprendió la decisión de mi interlocutor secreto de, precisamente, compartirlo. Ahí podía estar la razón de dejarme el documento: ahora, dudando, querían que se supiera...

El surgimiento del nacionalismo a partir de 1922, continuaba el asombroso documento, y la ascensión de Pedro Albizu Campos a su liderato en 1932, representó dinamita en el umbral. En ese año, nuestro Congreso, dándose por enterado, les devolvió el nombre propio de Puerto Rico, el que habíamos anglicizado, decía. Nos dimos cuenta, continuaba, del fracaso de la americanización, y favorecimos la creación de un "dominio" al estilo de Inglaterra. Ello llevó a una confrontación entre civiles y militares en nuestro seno, y se traspasó la jurisdicción al Departamento del Interior, nombrándose director del mismo a un académico, pero nombrando gobernador de Puerto Rico al general Blanton Winship. El general Winship llevaba la encomienda de acabar con el nacionalismo en Puerto Rico y desató una represión terrible.

El año en que Winship ordenó la Masacre de Ponce, pensé, fue el año en que yo llegué al mundo en Puerto Rico. No en balde tuve en mi infancia aquella sensación de silencio opresor en mi hogar, aquel sentido de que debía enajenarme de la angustia, que me llevó mucho después a dejar la Isla y tratar de acomodarme como uno más en los círculos más multitudinarios del Imperio...

Cardon entraba entonces en su más grave denuncia: "En secreto, decía, tratamos de intimidar al pueblo de Puerto Rico mediante la radicación de un proyecto punitivo de independencia". La lectura comenzaba a hacérseme intolerable. La duplicidad, la manipulación de un pueblo entero, el mío, era admitida en mis narices por un procónsul colonial. Me detuve. Miré alrededor, con la intención de encontrar un zafacón y echar el documento entero, para no saber más. Había confiado demasiado en el país en el que había hecho mi fortuna y había criado a mis hijos. Mi hija había tenido razón el día que me pidió estudiase a mi pueblo. Lo que no sabía ese día era si ya era demasiado tarde. Más que nunca, decidí que tenía que hablar con Victoria sobre el muerto.

Miré el reloj de pulsera. No quería atrasar mucho la visita a la Caleta de las Monjas, pero se le antojaba al destino ponerme en las manos este informe secreto precisamente porque la Divina Providencia quería que supiese mucho más de lo que jamás esperaba saber antes de localizar, y confrontarme con Miguel García. Si estos eran los hechos admitidos por el imperio, la acción violenta estaba más que justificada. Me estremecí con un leve tremor que corrió por encima de toda mi piel. ¿Adónde iba?

Proseguí leyendo. Cardon informaba que en ese momento, desmantelado el nacionalismo en Puerto Rico, los Almirantes A.J. Hepburn y John W. Greenslade había sugerido que se convirtiese la Isla "en la base para el control total del Caribe". La Isla entera iba a ser una base militar. ¿Y sus habitantes?, pensé.

"Entre 1938 y 1944 –seguía resumiendo el americano– las masas puertorriqueñas respaldaron un movimiento populista, pero no afectaron un ápice la política de Estados Unidos. El Almirante

William D. Leahy fue nombrado gobernador para diseñar un nuevo esquema de inteligencia militar y el establecimiento de bases de infantería, aéreas y navales en todo Puerto Rico. El problema era cómo ganarse la lealtad de los puertorriqueños. El *War Department* volvió a insistir en que no se hiciese mediante concesión política alguna de soberanía a Puerto Rico. Esa es la situación que no puede sostenerse por más tiempo, so pena de que revivamos un nacionalismo militante que nos arrope en el futuro".

Sonreí. Ahora veía por qué Miguel García era tan importante. *El Gato* había revivido... ¿Auguraba éso el retorno de un nacionalismo militante? De las hojas del memorando se desprendía una preocupación grave, o quizás un presagio grave, sobre eso.

El error, decía Cardon, fue que en aquel momento en 1945 el Jefe del Ejército propuso crear un *commonwealth* como el de Filipinas, por un largo período antes de un cambio de soberanía. Quedaba ahí demostrado, en documentos oficiales, que Cardon había incluido y subrayado, que la "creación" de una nueva condición política en Puerto Rico entre 1950-1952 había nacido, no en mentes puertorriqueñas, sino en el *War Department* de los Estados Unidos, cinco años antes, con tal de no conceder la soberanía.

Se derrumbaba toda una muralla de mentiras y metáforas en la que yo había vivido por años. Pensé en la maldad de Cardon. ¿Y qué si lo que pasaba por mis manos se le decía al pueblo entero de Puerto Rico? Miré, sin ver, hacia el mar. Revoloteaban en mi cabeza imágenes de crujir de dientes y rasgados de vestiduras... Me di cuenta de que algo grave iba a pasarle muy pronto a Puerto Rico, y de que yo era un privilegiado, al permitírseme atisbar este terrible derrumbe de una realidad, que no lo era, y peor, que nunca lo había sido. Los 35 patriotas muertos en el levantamiento revolucionario de 1950 habían tenido la razón.

Cardon lo decía más adelante. Su crítica a la subestimación del nacionalismo puertorriqueño era aún más acerba. Le relataba al presidente de los Estados Unidos cómo Puerto Rico había sido designado entonces bajo la jurisdicción del *National Security Council* en la mismísima Casa Blanca, que solicitó su primer informe sobre Puerto Rico el 18 de enero de 1951.

Medio siglo después, pensé, podía tener a mano el último de esos informes. No debía seguir leyendo. Debía hacer después, en mi mirador frente a *Central Park* en Nueva York, una lectura más cuidadosa. Pero, por otro lado, algo quería Cardon que supiese yo y que supiese *El Gato,* si era que yo lo encontraba. No me quedó más remedio que seguir. Pero la lectura se me hacía agobiante. Levanté la vista y miré a las docenas de turistas caminando a mi alrededor, y a los empleados del hotel, todos inconscientes de cómo se había manipulado y se manipulaba a mi país desde las esferas más altas de los poderes que son en el imperio más poderoso del globo. Yo, que había tratado de ignorar a mi pueblo por tantos años, era ahora poseedor del secreto de su desdicha. No era, como nos habían hecho creer, que fuéramos miedosos o jaibas, era que los poderosos nunca nos habían dado la oportunidad de ser otra cosa. Me tuve que forzar a seguir.

Cardon entraba a explicar los hechos bajo la jurisdicción del *National Security Council*, "una jurisdicción, que nunca ha abandonado desde entonces, que ejercimos siempre en secreto, y que ejercemos en secreto al día de hoy. Eso debe cambiar ahora", concluía. Una levísima esperanza afloró en mi espíritu. A lo mejor, solo a lo mejor, los americanos se arrepentían y optaban por la transparencia que necesitaba mi pueblo para entender su condición en el mundo. Me erguí en la silla, con nuevo interés.

Cardon explicaba cómo, desde la aprobación de la Ley de Seguridad Nacional de 1947, el Secretario del *National Security Council* se reunía diariamente con el Presidente Harry S. Truman acompañado del Almirante William d. Leahy, que había sido gobernador de Puerto Rico en el año crítico de 1940. En enero de 1951 el Buró Federal de Investigaciones y el Comité de Seguridad Interna habían informado al *Council* sobre las "lecciones" a aprenderse del levantamiento nacionalista. El informe se jactó de "la estrecha relación" entre las agencias de inteligencia norteamericanas y las locales. El informe señalaba que, dado el peligro del comunismo internacional, había que anticipar más actos de rebeldía.

"Los persistentes actos de violencia nacionalista nos obligaron a re-evaluar la política secreta –continuaba Cardon resumiendo documentos que obviamente había examinado– unos insistieron en mantener la condición política de *commonwealth* que favorecía el Departamento de Defensa, mientras que el Presidente Eisenhower se inclinaba a reconocer la nacionalidad y conceder la independencia a Puerto Rico." Otra sorpresa, pensé. Cuán poco sabíamos nosotros mismos, pensé, cuán poco sabían aun nuestros propios líderes. Pobre de Luis Muñoz Marín, me dije.

Leí entonces que entre el 20 de noviembre de 1953 y el 17 de junio de 1959 los poderes que son insistieron en que Muñoz se convirtiese en el primer presidente de la República. Ese sexenio, me dije, coincidió con los esfuerzos de Muñoz en Puerto Rico por generar una primavera de la nacionalidad, culminando con la creación del Instituto de Cultura. Ahora se me hacía claro que Muñoz había tratado de preparar al pueblo para la soberanía, que nos iba a ser impuesta por los Estados Unidos.

"Sin embargo –continuaba el relato de Cardon– el 1ro de enero de 1959 Fidel Castro entró en La Habana, y a partir de entonces cambió la historia del Caribe y de nuestra relación con Puerto Rico. El esfuerzo de promover la independencia se abandonó a mitad de 1959 y se sustituyó por todo lo contrario: la contención del sentimiento nacionalista en Puerto Rico", decía.

Me enteré a renglón seguido de que a fines de 1959 el *National Security Council* había ordenado maniobras militares en el Caribe relacionadas con los eventos en Cuba, cuyo centro de operaciones sería Puerto Rico. El 22 de febrero de 1960 Eisenhower visitó a Puerto Rico y discutió en secreto con Muñoz. Era obvio que ni siquiera Cardon sabía aún lo discutido. Habría que buscar, me dije, otras fuentes para ese día crucial en la historia de Puerto Rico. Pero una cosa estaba clara, y yo la reconocía: a partir de entonces se desataría una guerra sin cuartel entre las agencias de inteligencia norteamericanas y las agencias de inteligencia cubanas, en cuya guerra podría haber jugado un papel protagónico el muerto que había resucitado ahora.

"Los documentos demuestran –continuaba Cardon– que Muñoz trató de conseguir un *do ut des* del militarismo a cambio de mejoras de status, pero la Inteligencia Naval se insertó en el debate aduciendo que Fidel Castro tenía designios sobre Puerto Rico. Ello nos llevó a extender el operativo COINTELPRO, un programa de contrainteligencia del Buró Federal de Investigaciones, a Puerto Rico." La Marina de Guerra, explicaba el documento a continuación, solicitó poseer la isla de Vieques y trasladar a todos sus habitantes, para proteger las instalaciones militares de los designios de la revolución cubana, pero la oposición de Muñoz obligó al Presidente John F. Kennedy a reunirse con Muñoz el 27 de junio de 1961, y se negó, influido por su secretario de Estado, Roberto Sánchez Vilella, que se convirtió desde entonces en un riesgo de seguridad nacional para nosotros, concluía Cardon.

Había sido un reto de Muñoz a Estados Unidos nominar a Sánchez en 1964, me dije. Ya era demasiado, pensé, esto tenía que ser política-ficción. El documento que tenía entre mis manos rediseñaba por completo la historia de mi pueblo en medio de los avatares de la Guerra Fría. O era falso, o si era cierto, nadie me creería, si lo utilizaba en el libro que Cardon sabía me proponía escribir. Dudé. No quería ser víctima de la incomprensión de mis compatriotas, y mucho menos que se pensase que yo estaba loco. Volvió a tentarme la idea de echar los papeles en el zafacón más cercano o, inclusive, quemarlos en mi habitación. Se me hacía tarde. Violeta podía desaparecer de la Caleta de las Monjas si no me apresuraba. Y sin embargo, un presentimiento grave me decía que no podía salir del hotel sin terminar de leer aquel documento terrible que tenía en las manos.

Decidí moverme. Me levanté, acudí a la entada del hotel, le hice señales a un taxista, y ordené: A la Caleta de las Monjas.

16
La brisa en el Viejo San Juan

Pedí al taxista que me dejase frente a la Catedral, desde donde podía ver claramente la puerta de la casa de la Caleta de las Monjas. Me senté en uno de los bancos de la pequeña plazoleta frente al Hotel El Convento, y para poder observar mejor, coloqué el fajo de documentos en mi falda. Mientras esperaba ver arribar a Violeta, decidí continuar leyendo aquel desnudamiento monstruoso, mientras luchaba con la brisa, que quería llevárselo.

La historia, tal como la relataba Cardon, continuaba implacable. Relataba cómo, luego de elegido el gobernador Roberto Sánchez Vilella, "pusimos a Muñoz en el potro" al citarlo a testificar el 23 de julio de 1965 ante una sesión secreta del Comité de Relaciones Exteriores del Senado. La primera pregunta, fundada en la acusación de la Inteligencia Naval de que dos de sus ayudantes principales lo eran, fue "cuántos comunistas" había en Puerto Rico. Aunque Muñoz fue evasivo, concluía el relator, "decidimos desestabilizar el gobierno de Sánchez".

Yo recordé que, mientras todo esto ocurría en secreto, en público, luego de fracasar nuevamente los esfuerzos soberanistas de Muñoz en el Congreso, entre 1965-1966 se había ordenado un "estudio" por una Comisión de Status, de "todos los factores que puedan incidir en la presente y futura relación entre los Estados Unidos y Puerto Rico". Entre el centenar de lecturas que había hecho desde que mi hija me obligó a tratar de conocer mi destino como puertorriqueño, me había dado cuenta de que uno de los estudios acordados se refería a "la estabilidad política y seguridad de la defensa y bases militares" en Puerto Rico, estudio que nunca había logrado localizar, y que no se incluyó en la publicación de los voluminosos trabajos de la Comisión, que estaba en mi biblioteca en Nueva York.

La Comisión, recordé también, sugirió un plebiscito que se celebró en 1967 y que santificó nuevamente la colonia por consentimiento con un margen amplio. Lo único que decía el Informe Cardon sobre ese evento era lo siguiente: "Los Estados Unidos han declarado reiteradamente y con orgullo que su política sobre el status político es la libre determinación, pero hay un historial de una década de dudosa manipulación. Lo que no es aceptable es una campaña de desestabilización de lo que funcionaba como un partido constituido legalmente".

¿Y qué si Puerto Rico descubría eso ahora? –me pregunté–. La admisión del procónsul, que citaba de un informe oficial sometido al Presidente Jimmy Carter en 1978, no se conocía entre los puertorriqueños. Esa admisión era lo que Cardon quería que supiese doña Violeta, y quizás, inclusive, que fuese incluido en mi libro sobre *El Gato*, vivo o muerto. Pero... ¿Y si nadie me creía? ¿Tendría que publicarlo todo como una novela, una ficción? En ese momento no supe qué hacer... Dejé de pensar, y regresé al texto.

Cardon explicaba entonces que los Estados Unidos –que habían intervenido crasamente en la manipulación del voto a favor de la colonia por consentimiento mediante el Buró Federal de Investigaciones, la Agencia Central de Inteligencia, y la Inteligencia Naval– no quisieron contestar a la votación en Puerto Rico, y elaboraba: "En ese momento, Henry Kissinger encomendó a su principal ayudante Arthur Borg, un *case study* sobre Puerto Rico. Luego de un año de reflexión, Borg indicó que el foco en el *National Security Council* era ad hoc, y que se requería una idea mejor de lo que íbamos a hacer con Puerto Rico. Debemos tomar la iniciativa de buscar las maneras en que los Estados Unidos ayuden a timonear la cuestión de Puerto Rico".

Leí entonces cómo el asunto había sido referido otra vez al *National Security Council* el 19 de febrero de 1976, bajo la presidencia de Gerald Ford, y cómo el único asunto planteado fue, otra vez, "quién ejercería la soberanía sobre Puerto Rico". La conclusión de la evaluación por un tal Sam Halper, me pareció fascinante. Leía: "Para que ocurra un cambio, los isleños tendrían que hacerse cargo de sus propios asuntos, pero eso significaría un repunte de nacionalismo y el peligro de que el auge del nacionalismo pudiera convertirse en independentismo".

Eso es precisamente lo que ha ocurrido, me dije.

Sin embargo, me sorprendí al enterarme de inmediato en el texto que el *National Security Council* había decidido a favor de la admisión de Puerto Rico como estado, como la única "advertencia" posible a la agitación de Cuba a favor de la independencia. La sorpresa se convirtió en sonrisa cuando recordé haber leído precisamente eso en el *New York Times* de entonces.

De sorpresa en sorpresa, leí enseguida que Cardon decía: "Esa política pública duró muy poco, pues encontró la oposición del presidente electo Jimmy Carter, que personalmente favorecía la independencia, y que así se lo había dejado saber a algunos de sus favorecedores anti-anexionistas en Puerto Rico". Eisenhower por la independencia, Kennedy indeciso, Nixon y Ford por la anexión, Carter por la independencia, otra vez, me dije. ¿Qué clase de gente era ésta para jugar así con el destino de un pueblo entero de casi siete millones de seres humanos? ¿Cómo había yo podido estar tan equivocado sobre mi adhesión a ese país? Una vez más, mi pensamiento fue hacia mi hija, que con solo recomendarme un libro, me había embarcado en esta aventura que tan graves descubrimientos había producido. En este mar de papeles, Ulises había podido desdeñar el canto de las sirenas.

Pero el fajo de papeles no cedía en su volumen, y nada parecía ocurrir en la Plaza de la Catedral aquella tarde, excepto los pintores que vendían sus obras a los turistas, los pájaros que se entretenían gorjeando en los árboles, y un par de hombres que llevaban algún rato sentados en su automóvil, sin hablar. No les hice caso, porque la lectura ya se había apoderado de mí, y me obsesionaba continuar desentrañando aquellos terribles secretos, aquella tarde límpida y plácida, en el Viejo San Juan.

Cardon hacía en la próxima página una admisión: "En ese momento, como asesor del *National Security Council*, entré yo a participar en esta historia". Ahora es más interesante, me dije.

Al mismo inicio de la gestión del Presidente Carter, en enero de 1977, se pidió otra vez al *National Security Council* la opinión sobre la cuestión de Puerto Rico. Zbigniew Brzezinski, jefe de ese organismo, opinó que Puerto Rico vivía en "una variante de neo-colonialismo" y propuso una revisión de nuestra política, que me fue encomendada, decía Cardon. Ahora, leyendo, yo iba a acompañar a Cardon por el laberinto de secretos. Si todo lo que había leído hasta entonces era cierto, lo que vendría ahora tenía que ser más verídico aún. Nadie me creería, me dije.

La revisión de política en las entrañas de la Casa Blanca de Jimmy Carter llegó a una conclusión, revelaba Cardon: se abandonaría la defensa del *statu quo* neo-colonial y se ofrecerían a Puerto Rico cuatro "futuros alternos": la colonia, la estadidad, la independencia, y la libre asociación entre dos naciones soberanas, en una Proclama Presidencial el 25 de julio de 1978. Sin embargo, añadía a renglón seguido Cardon, "los eventos ese mismo día en el Cerro Maravilla en la región montañosa al sur de Puerto Rico con el asesinato de dos jóvenes independentistas por fuerzas de los Gobiernos de Puerto Rico y Estados Unidos, nos forzaron a volver a re-evaluar nuestro propio poder sobre los acontecimientos históricos", concluía Cardon.

Me detuve otra vez con los pelos de punta. Ahora sabía la razón para los dos asesinatos. Ahora sabía que todos los nuestros que habían participado de ese histórico drama (del que me había enterado en Nueva York) eran víctimas. Los gobernantes, los policías, los jóvenes idealistas, eran todos víctimas de una lucha de poder a los niveles más altos de la jerarquías militares y civiles del imperio más poderoso del globo. Miguel García y Jota, los iniciales protagonistas de la historia que había venido a escribir, se esfumaban ahora en un laberinto de espantos.

Nos decidió, seguía diciendo Cardon, el que en 1978 todos los sectores políticos de Puerto Rico acudieron a Naciones Unidas a denunciar el colonialismo nuestro en Puerto Rico. El Comité de Descolonización adoptó la única resolución unánime en su historia sobre Puerto Rico, citando nuestra Proclama Presidencial del 25 de julio, y pidiendo el traspaso de poderes de soberanía a Puerto Rico, lo objetado eternamente por el Pentágono. El 13 de octubre de 1978 recibí, decía Cardon, un memorando confidencial, citando al asesor puertorriqueño del Secretario de Estado, y coincidiendo con él en que "la situación de Puerto Rico está obviamente sobrecargada. Los asesinatos políticos recientes atestiguan ese hecho".

La violencia estatal y la violencia clandestina habían resultado decisivas en la historia de Puerto Rico de fin de siglo, pensé. En ese momento, se transformó la idea de mi libro.

Mi conclusión, me dije, hubiese hecho feliz a El Gato, esté vivo, o muerto, o rondando su fantasma hoy en el Viejo San Juan.

El resto de la historia, pensé, no me interesaría tanto. Y así fue. En adelante leí con rapidez, y me enteré de que el *National Security Council* de Jimmy Carter se había embarcado, a partir de la mañana del 6 de diciembre de 1978, en una evaluación total de la situación de entonces de Puerto Rico y de su condición política futura. Cardon significa alguna de las cuestiones cardinales discutidas en la reunión en que él había estado presente: los nacionalistas presos en cárceles de Estados Unidos, la identidad cultural de los puertorriqueños, la cuestión de la inmigración, la participación de la isla en foros internacionales, la jurisdicción marítima y los bombardeos de la Marina de Guerra en la isla de Vieques. Finalmente, se sugería una coordinación mayor futura por un funcionario en Casa Blanca.

Detuve la lectura. Recordé entonces haber leído, precisamente en diciembre de 1978, un artículo en la revista *Foreign Affairs* de mi excelente amigo José Cabranes, a la sazón profesor en la Universidad de Yale (y que padecía de mi misma desafiliación selectiva de mi patria), titulado: "El colonialismo sale del closet". Me di cuenta de que José debía saber, cuando lo escribió, todo lo que yo, apenas empezaba a conocer. Me pregunté si José pasaría después, o cuando leyese mi libro, por la transfiguración de sus afectos, y los adheriría a Puerto Rico.

Como un gesto hacia el nuevo camino emprendido, añadía Cardon, "liberamos a los presos nacionalistas puertorriqueños, en estrecha colaboración con el gobierno revolucionario de Cuba". Eso sí le va a gustar a Violeta, pensé, la legitimación de la violencia como recurso para liberar a Puerto Rico por los más altos funcionarios del gobierno del imperio... Cosas veredes.

Un oficial del Departamento de Estado, continuaba relatando el memorando, adelantó la recomendación del grupo de trabajo en un documento publicado que tituló, acertadamente, "Puerto Rico Libre". Proponía preparar a Puerto Rico para esa eventualidad.

Ya llegué al meollo, pensé, mientras de reojo mantenía mi vigilancia sobre la entrada de la casa en la Caleta de las Monjas, y sobre las dos figuras inmóviles en el automóvil frente al Hotel El Convento, que ahora me pareció esperaban por lo mismo que yo. Los que habían desatado la ola de violencia en Estados Unidos por las Fuerzas Armadas de Liberación Nacional, y en Puerto Rico por el Ejército Popular boricua, nunca supieron que en esos precisos momentos la administración de Jimmy Carter consideraba timonear a Puerto Rico hacia su soberanía. Otra de las terribles ironías del laberinto de secretos entre Puerto Rico y Estados Unidos, que había costado incontables vidas.

Aquí, de pronto, Cardon se ponía algo parco, evidencia de que aún guardaba para mí innumerables secretos. Pero decía que en la Casa Blanca deliberaron el *National Security Council* y el *Domestic Council*, en uno Robert Pastor, en el otro Jeffrey Farrow. Todos, sin embargo, habían estado de acuerdo en que el caso de Puerto Rico, en el contexto de los hechos de esos días, planteaba las cuestiones de Irlanda del Norte o Québec, por su enorme similitud con el caso de los puertorriqueños, y que ello tenía "implicaciones potencialmente explosivas".

La "política de futuros alternos", continuaba el memorando, sobrevivió al advenimiento de Ronald Reagan al poder y al tranque electoral en Puerto Rico en 1980. Se decidió hacer un estudio de las opciones de política pública para Estados Unidos y, tal y como había sido solicitado por el *National Security Council*, se encomendó al *World Peace Foundation* de Boston. "Por vez primera en casi un siglo, decía Cardon, invitamos a varios pensadores puertorriqueños a ofrecernos su versión de cuál debía ser nuestra política hacia su país." El 8 de septiembre de 1983 los participantes lograron consenso en varios puntos: la necesidad urgente de actuar, la evasión de su responsabilidad por el Congreso, el fracaso de la política económica de crecimiento sin desarrollo, los costos sociales de la dependencia en la dádiva federal, y las maneras de responder a la comunidad internacional, sugiriendo "cómo facilitar el cambio y la transición".

La razón para la conferencia la expresó su organizador, el exembajador en Portugal Richard Bloomfield, al señalar que los Estados Unidos se enfrentaban al final de la inmunidad norteamericana al terrorismo en su continente, y que Puerto Rico podía ser la cuestión que hiciese de ese hecho una predicción.

Se hacía obvio, me dije, el rol protagónico de las Fuerzas Armadas de Liberación Nacional y sus actos clandestinos en Chicago y Nueva York en la historia boricua de fin de siglo.

El documento concluía al fin. La brisa del Viejo San Juan ya no atacaba nada más que su última página. Todas las demás reposaban debajo de mi trasero, pues me les había sentado encima, para asegurarlas. Ahora, más que nunca, había que resolver el misterio de la resurrección de *El Gato*. Ahora, más que nunca, era evidente que el calcinado había sobrevivido. Ahora más que nunca, era obvio que los Estados Unidos le temían.

Las conclusiones de Cardon eran escuetas: "En este fin de siglo, termina nuestro siglo americano. Luego de medio siglo de colonialismo craso y de otro medio siglo de una dudosa relación neo-colonial con Puerto Rico, nos llegó la hora de decidir. La asimetría entre la concepción nuestra de una posesión y la concepción de ellos como pueblo, tiene que terminar ahora con la sinergia de la descolonización. En la reestructuración del orden mundial después de la Guerra Fría, la cuestión central será el rol protagónico de las nacionalidades. En Puerto Rico, esa nacionalidad ha sido, como he demostrado, nuestro hueso duro de roer por su expresión violenta. Ese clandestinaje ha sido, como advirtió el Juez William H. Webster como Jefe del Buró Federal de Investigaciones y de la Agencia Central de Inteligencia, nuestro talón de Aquiles. Tenemos que devolverle su país a los boricuas".

Elevé los ojos del último pliego del Informe Cardon. El sol candente y la brisa suave me acariciaron. No tuve que pensar mucho. Gracias al procónsul, se me hacía clarísimo que en esta historia secreta y terrible, el calcinado que ahora resucitaba era quien había tenido la razón. Decidí comunicarle mi convicción a Violeta y a su hija. Con paso firme y decidido, con el montón de papeles bajo el brazo, crucé la pequeña Plaza de la Catedral, y toqué, quedo, en la puerta de la casa en la Caleta de las Monjas.

17
La picada del alacrán

El destino toca una vez a la puerta de los seres y los pueblos. Un momento preciso, un hecho único, desata las voluntades de los muertos y los vivos en el relojo cósmico en una vorágine de contrapunteos entre la voluntad y el devenir, y la historia toma caminos totalmente nuevos. Así había ocurrido en Puerto Rico el día en que un avión de la Marina de Guerra de los Estados Unidos mató al guardia civil David Sanes en la isla de Vieques. El hecho militar horripilante galvanizó la voluntad y la unanimidad del pueblo de Puerto Rico.

Sin embargo, los sectores militares de los Estados Unidos no escucharon la voz de Puerto Rico. Desatentos a la ola nacionalista que arropó al país, ejercieron otra vez el poder brutal que habían ostentado desde el mismísimo 1898. La colonia quedó al desnudo, la hoja de parra del consentimiento voló ante el huracán de sentimientos. El imperio trató de reimponerse por la fuerza, evidente y oculta. Exigió de los puertorriqueños lealtad, fidelidad, adherencia. Y desencadenó la crisis final.

En medio de esos hechos se había encontrado Julián en Puerto Rico, y en medio de esos hechos Robert Cardon había venido también. El encuentro de ambos, fortuito o no, había puesto cara a cara a dos historias, dos visiones de mundo, dos entendimientos. Cada uno sorprendió al otro. Ambos aprendieron del otro. La verdad comenzó a aflorar en dos conciencias. Solo dos. Pero esa verdad crecería con el tiempo, se multiplicaría con creces, y lograría, al fin, separar dos destinos que nunca debieron unirse: el de un pueblo bueno y un imperio maligno.

Aquella tarde, en San Juan de Puerto Rico, al margen de los acontecimientos más dramáticos, se cruzaron muchos destinos.

Germán Quintana estuvo ausente de su mesa en el *Banker's Club*. De hecho, decidió esa misma tarde salir al día siguiente en un largo viaje de negocios, y nunca volvió a Puerto Rico. La muerte, sin llegar a su séptima vida, lo encontraría en Madrid.

La reunión en la Alcaldía entre Robert Cardon y el mejor hombre del alcalde, el teniente coronel Alejandro Méndez, resultó ser un fracaso. Jota sabía quién había matado a Vicente Casellas, y Robert Cardon también. Ambos jugaron al vals de los toreadores. Espías al servicio de Cardon habían descubierto que en el garaje de Jota estaba estacionada la motocicleta, y a su lado reposaban las botas, el uniforme de *jogging*, y el casco, usados en el asesinato. Jota había dicho que se ocuparía del asunto. Lo hizo.

Robert Cardon consiguió, gracias a la gentileza del alcalde Baltasar Acevedo, que se le permitiese enviar un Informe de sus gestiones por facsímil a la Casa Blanca, mediante el módem no interceptable que él mismo había instalado en la Alcaldía. Por si las moscas, envió otro desde su propia habitación en el hotel.

Era importante transmitir de inmediato el resultado de su entrevista con el afamado Jota, y, de ser necesario, detener lo que ya parecía el instinto del alto oficial para actuar por su cuenta y riesgo, excediéndose en su afán. El presidente de los Estados Unidos no podía permitir que sus antiguos aliados le llevasen a repetir los errores de un pasado demasiado reciente. No era cosa de convertir a Puerto Rico en Irlanda del Norte.

En la oficina de la Alcaldía, Cardon estaba consciente de que lo que escribiese quedaría disponible en la memoria para los ojos del alcalde, pero no se inmutó. De todas maneras, el funcionario en cuya oficina estaba instalado el aparato trabajaba, con conocimiento del alcalde, para la inteligencia norteamericana, siempre atenta a las estrellas ascendentes en el firmamento político de la Isla. Por esa razón, no le molestaría.

"La cuestión de la condición política de Puerto Rico sigue siendo un *issue*, y mientras sea un *issue* –tecleó Cardon para abrir el documento– habrá una cierta cantidad de gente que violará la ley para expresar su insatisfacción. De no reconocer este hecho, Puerto Rico será nuestro talón de Aquiles."

Abrió el memorando con esta muy apropiada cita de Richard Held, el Jefe del Buró Federal de Investigaciones que había logrado arrestar a *Los Macheteros* en 1985, y cerró con otra de William Webster en las vistas de confirmación como candidato a director de la Agencia Central de Inteligencia.

En su entrevista de despedida de la Isla en el *San Juan Star*, el periódico en inglés, el 27 de septiembre de 1985, Held había resumido así la sabiduría obtenida durante sus años de gestión en la Isla, sabiduría que rebasaba por mucho el conocimiento de sus antecesores en el cargo, y de la que se había convencido luego de su conversación con "Juvenal", el día de su arresto. Ese día había amanecido una nueva visión.

Esa posición había convencido, a la vez, a su superior, el Juez William Webster, quien, a su vez, la había transmitido al Congreso de los Estados Unidos en vistas anteriores a su confirmación como Jefe de la Agencia Central de Inteligencia de los Estados Unidos. Webster había señalado, además, que de no resolverse la cuestión en un futuro próximo, "Puerto Rico será el talón de Aquiles de los Estados Unidos". Ni la Agencia Central de Inteligencia ni el Buró Federal de Investigaciones podían, dijo entonces, resolverle al Congreso la existencia de una nacionalidad puertorriqueña. El Congreso era el que tenía que decidir qué era lo que quería hacer con el pueblo de Puerto Rico.

Cardon coincidía, y así lo señaló al teclear sus conclusiones. Coincidió también, de inmediato, en su escrito en que había sido imprescindible y sabio descriminalizar la adhesión a la independencia de Puerto Rico por un sector importante de los habitantes y votantes de la Isla; un proceso que, timoneado por el Consejo Nacional de

Seguridad, ya llevaba unos ocho años de implantación por la metrópoli. Esa decisión había producido unos años de calma. Pero procedió a actualizar su evaluación con motivo de la muerte de Vicente Casellas, y de su recién terminada reunión en la Alcaldía.

Alejandro Méndez había hecho una extensa exégesis de su carrera, con acierto, aplomo, exactitud, y en un tono más de requiebro que de orgullo, pero siempre desafiante. Indicó que había sido uno de los "hombres de sangre azul" escogidos por el presidente John F. Kennedy en toda América Latina para combatir el comunismo y evitar otra Cuba. Y añadió, hemos triunfado.

Robert F. Kennedy había sido el entusiasta iniciador de la idea de reentrenar a las fuerzas policíacas en América Latina. Y había instalado, como modelo, a Dan Mitrione en Uruguay.

Con orgullo, Méndez se señaló como uno de sus discípulos más avanzados en la isla de Niteroi, en Brasil. Allí había aprendido a torturar a los intelectuales colocándolos descalzos sobre latas de sardinas abiertas y poniendo algo pesado en su mano derecha alzada, para que los bordes cortasen el talón del pie, llamándole a tal divertimento "la Estatua de la Libertad".

Ese entrenamiento se había refinado en las bases en Panamá y en Fort Bragg, donde se había graduado en aplicar picanas eléctricas en las partes pudendas de las interrogadas. Era, dijo pronunciando los títulos en perfecto inglés, un graduado con honores del *International Police Services School*, auspiciado por el *Agency for International Development*, con oficinas en Washington. Inclusive, una que otra vez, había alternado con agentes de la *Central Intelligence Agency*, de lo que estaba muy orgulloso.

Había estudiado también en Los Fresnos, Texas, cómo hacer y detonar una bomba, y cómo inculpar a los revolucionarios por ello. De hecho, había sido un discípulo tan destacado que había sido uno de los invitados oficiales al entierro de Mitrione en Richmond, Indiana, luego de que fuese asesinado por "Los Tupamaros". Por todo ello, dijo, en tono orgulloso y sarcástico a la vez, era hoy intocable en Puerto Rico, y le estaba muy agradecido a *míster* Cardon y a los Estados Unidos.

Es, dijo Cardon en su escrito, un chantaje burdo, llegando al tema clave que le había traído a Puerto Rico: la evaluación del hombre principal de la inteligencia norteamericana en la Isla, y de sus perspectivas de futuro. "No me toca en este documento –prosiguió– enjuiciar las iniciativas de otras administraciones. Me limitaré a la evaluación de la efectividad actual de este hombre."

"Personajes como éste son anacronismos de una era ya terminada, que deben ser retirados de sus cargos a la mayor brevedad posible. De no hacerlo, se hará grave daño a las relaciones entre los Estados Unidos y Puerto Rico." Tenía razón el presidente George Bush, citó, al señalar, en su Mensaje al Congreso de enero de 1991, que Puerto Rico ha sido gobernado por nosotros por décadas con "políticas poco sabias".

Es urgente, concluyó, terminar todo esto, y timonear a Puerto Rico hacia la afirmación de su nacionalidad y libertad.

Se sintió satisfecho de su recomendación al presidente.

Apretando la tecla de envío, prometió un extenso anejo documental que ya había preparado sobre la historia de la cuestión, y que llevaría de regreso a Washington. La conclusión era que la nacionalidad boricua era un mal que no moría.

Jota le había señalado que toda la historia desde la invasión de Estados Unidos estaba plagada de incidentes de violencia, como evidencia de una resistencia nacional, que no había habido manera de sofocar, y de la cual el asesinato de Vicente Casellas era, únicamente, la más reciente expresión. Jota daba por supuesto, como así era, que su interlocutor conocía al dedillo la condición de agente de inteligencia norteamericano del empresario independentista. Colocó el incidente en su contexto.

Pasó horas explicando una a una, las instancias más relevantes: la batalla en Coamo en contra de las tropas americanas en 1898; la confrontación entre las turbas proamericanas y los puertorriqueñistas en 1901; la fundación del Partido Nacionalista en 1922; la Masacre de Río Piedras en 1935; la Masacre de Ponce en 1937; la Revolución de 1950; los ataques de los "Comandos Armados de Liberación" in 1960;

los motines de los *Young Lords* en 1970; la voladura de *Fraunces Tavern* en Nueva York por las Fuerzas Armadas de Liberación Nacional en 1975; el ataque de "Los Macheteros" a la Base Naval de Sabana Seca en 1978; el ataque a la Base Aérea Muñiz en 1981 entre muchísimos otros, que no se molestó en enumerar, como los múltiples incidentes en la Universidad de Puerto Rico, que tanto conocía.

"No hay manera de parar esto", dijo, pero insistió en lo indispensable de las fuerzas represivas que él epitomizaba, para garantizar la seguridad de las bases militares suyas en la Isla.

Y le hizo un cuento a *míster* Cardon: una vez, en un río boricua, un alacrán se acercó a un sapo para pedirle que lo pasase a la otra orilla. El sapo, receloso, le contestó que no lo haría porque el alacrán lo podía picar con su ponzoña, y morirían los dos ahogados. El alacrán ofreció toda clase de garantías de que ello no ocurriría. El sapo, convencido, lo montó sobre su espalda y comenzó a cruzar nadando el río. A mitad del camino, el alacrán picó con su ponzoña al sapo. Momentos antes de hundirse ambos, el sapo interrogó al alacrán: "¿por qué lo has hecho?" "Es mi naturaleza, no lo puedo evitar", contestó el alacrán mientras se ahogaban ambos. "Yo tampoco lo puedo evitar" –concluyó– "fueron ustedes los que me hicieron así. Ahora me la deben."

Con ese argumento final que creyó contundente, Jota le deseó suerte a *míster* Cardon, y se despidió, sin someterse a pregunta alguna. Instantáneamente, Cardon, sonreído, lo había dejado ausentarse sin contrainterrogarlo, y sin despedirse.

Una vez atravesada la puerta, sin embargo, Alejandro Méndez sintió, o presintió, el verdadero significado de la entrevista.

Mente ágil, cuerpo alerta, mientras bajaba por las escalinatas de la Alcaldía de San Juan, Jota comenzó a hacerse preguntas, preguntas de conciencia que nunca antes le habían asaltado. ¿Y si los Estados Unidos ahora decidían cambiar su política? ¿Y si los aliados, esbirros de entonces, se convertían ahora en los enemigos públicos? ¿Y si los americanos se enamoraban ahora de los independentistas, porque la Isla les costaba demasiado, y los dejaban ahora en la estacada, otra vez, y venían contra ellos? ¿Habría valido todo la pena?

Fue en ese preciso momento cuando pensó que había dos tendencias en pugna en la situación actual en Puerto Rico. Una, era la inercia de los años de persecución del nacionalismo y la lucha contrainsurgente, que sobrevivía. La otra, la persistencia del fenómeno de afirmación de la nacionalidad en la Isla, y su aparición, una y otra vez, no obstante los esfuerzos por exterminarla. Cada nueva generación producía sus nacionalistas.

Los Estados Unidos habían decidido, se convenció, finalizar la primera tendencia y promover la segunda. Y fue en el preciso momento en que, habiendo emitido su fanfarronada, muy de Alejandro Méndez, al salir por la puerta, le entró, en la entraña, la duda, y, por vez primera en su vida, un frío mortal de terror.

Lo que Cardon no sabía, cuando se levantó de frente al procesador de palabras, era que Jota, a su vez, también evaluaba en su automóvil el resultado de la reunión, e iba más lejos.

Tan pronto encendió la máquina y salió del estacionamiento oficial de la Alcaldía, Alejandro Méndez se comunicó con sus dos principales oficiales mediante su teléfono celular. No le preocupó que la llamada pudiese ser interceptada por los amigos de Cardon en la base de la Guardia Costanera. Estaba acostumbrado, y, en última instancia, no le importaba –él se pasaba a los americanos por los cojones–. Se dijo, con una carcajada audible, que le estremeció de gozo de pies a cabeza.

Emeterio y Ramiro le informaron lo que deseaba saber. Los había destinado a seguir a Cardon desde que fuera recibido en el aeropuerto por gente del alcalde, y, con su usual diligencia, ya lo habían ubicado en el Caribe Hilton. Le informaron también que, al salir de la hospedería para la reunión, Cardon se había montado en un vehículo público junto a un hombre que describieron someramente como "otro americano elegante". Méndez fue informado de que los dos habían sido seguidos, y se separaron luego de una charla extensa en el Patio de Sam, en la Plaza San José.

Emeterio había seguido al segundo hombre, que luego de pasarse una hora en una librería en la calle del Cristo, había regresado al hotel, pero de allí había vuelto al Viejo San Juan, y acababa de entrar en una casa de la Caleta de las Monjas.

En el umbral de la puerta había sido recibido, dijo Emeterio con agitación, por una mujer de edad que parecía ser la muy buscada Violeta Rodríguez. Méndez le ordenó que le esperase. Sin encomendarse a nadie, por puro entrenamiento de años, viró en redondo en medio de la avenida, activó la sirena y las luces intermitentes a todo dar, y se dirigió de nuevo a San Juan.

18
Las siete vidas

La casa en la Caleta de Las Monjas no estaba sola. En tiempos de España, la Puerta de San Juan servía de entrada a la ciudad desde el mar, y la Caleta de las Monjas (llamada así porque por ella subían la cuesta las Monjas (llamada así porque por ella subían la cuesta las monjas del convento al lado de La Fortaleza) en efecto ascendía hasta la santa catedral de San Juan Bautista, al tope de la loma. Por ella también subían todos los oficiales, clérigos y guerreros que nos venían del mar, de la metrópoli, de la invertebrada España.

Allí, a mitad de la subida, en una pequeña casa de dos pisos, vivían desde su mudanza de Guano en los años cuarenta, las tres hermanas, Victoria, Viviana, y Violeta, "las tres victorias", como las llamaban los vendedores ambulantes que trataban siempre con la mayor, que le dio el nombre a la terna. En los años cincuenta, las mejores amigas de las tres victorias habían sido Inés, Emilia y Hortensia, las tres hermanas de la calle del Cristo, habitantes de la casa de los soles truncos, al tope de la loma. Al contrario de la muerte trágica de sus tres amigas, las tres victorias habían luchado y habían sobrevivido. Tomaban café aquella tarde.

La gran sala, con tres puertas de dos hojas cerradas sobre el balcón, con persianas apenas entreabiertas, recibía los rayos del sol de la tarde, que se rompían en azules, verdes, rojos al pasar por los cristales que formaban una rueda trunca sobre cada una de las puertas, un sol candente, vivo, triunfando contra la obscuridad, triunfando cada día.

Las tres cristianas habían vivido del recuerdo de Estrasburgo, del colegio, del recuerdo en fin. Las tres victorias vivían del presente, y ansiaban el futuro. La casa de la calle del Cristo estaba siempre cerrada, la casa de la Caleta de las Monjas estaba siempre abierta. Las de la calle del Cristo eran hijas de hacendados en quiebra, las de la Caleta de las Monjas eran hijas de un alcalde de Guano.

Las de la calle del Cristo habían llegado a pensar en crear una hostería de lujo para turistas, las de la Caleta de las Monjas nunca pensaron en otra cosa que en un hogar para la profesora Ana Violeta, que era, por supuesto, la que pagaba el préstamo que les permitía vivir.

El día de la purificación en la calle del Cristo, el día de la sala roja, el día del fuego de los años cincuenta, fueron las primeras en acudir a ver los tres cuerpos humeantes de las cristianas que habían sido sus tres mejores amigas. Fue Victoria la que le quitó la diadema al cuerpo calcinado de Inés. Era lo que le recordaba su madre, una vez más, a Ana Violeta, cuando tocaron a la puerta de la calle.

Victoria salió y se encontró con Julián Berlinger.

Violeta, por su parte, pudo identificar al hombre en el umbral, y con voz suave, le indicó a su hermana que lo dejase entrar. Pensó que, a lo mejor, traía noticias de su marido, al que (por una extraña coincidencia) Julián deseaba recobrar de entre los muertos y olvidados. Ana Violeta, sin embargo, hizo lo contrario. Tan pronto su madre hizo entrar al intruso, se dirigió agitada al piso alto de la vivienda, donde había dejado las bolsas de sus compras, sin decir palabra.

No bien se había cerrado la puerta tras Julián, volvió a sacudirse con unos toques enérgicos. Victoria volvió a abrir, y esta vez, como un huracán, dos hombres penetraron a la fuerza en el hogar, uno de los cuales desenfundó un arma de fuego, y ordenó: "Quedan ustedes cuatro arrestados".

Jota y Emeterio se posesionaron de la otra sala de los soles truncos. Violeta asumió el liderato, y exigió una orden de cateo. "No existe, y no importa" –contestó Emeterio–, cuadrándose frente a la viejecita. "Lo siento, señor, pero usted sabe que sí es necesaria", comenzó a decir con suavidad Violeta, cuando la mano de Emeterio que empuñaba el enorme revólver Magnum le cruzó la frente y le abrió una herida, que comenzó a sangrar profusamente. Mientras caía al piso Violeta, sus hermanas se abalanzaron sobre ella, arrancaron el mantel de encima de la mesa del comedor, y trataron de restañar su sangre, con éxito.

Julián, anonadado, trató de protestar, pero Emeterio le interpeló enseguida encañonándolo, y diciendo: "soy un alto oficial de la policía, ando tras la pista de Miguel García, y ese hombre está aquí". El otro hombre, Jota, se mantuvo silente e inmóvil, ensimismado. Julián se movió un paso al frente, tratando de interponer su cuerpo entre el atacante y la viuda, pero con ademán seguro, el cañón del arma de Emeterio le obligó a detenerse, y el lugarteniente se abalanzó sobre él y comenzó a esposarlo. En ese preciso momento, se escuchó un movimiento en los altos de la escalera.

El ojo habilidoso de Jota se movió en esa dirección, junto con el cañón de su revólver. Lo que vio, le dejó frío.

Al tope de la escalera, empuñando una Lugger centellante, estaba *El Gato*, vestido con toda la parafernalia que *Jota* mismo le había adjudicado en sus despachos de prensa: casco de motorista, traje de jogging de cabeza a los pies, botas negras y relucientes. No le dio tiempo a evaluar la situación. Un certero disparo le entró entre las cejas a Emeterio y lo mató en el acto. Otro disparo entró y salió por el hombro de *Jota*, y le tumbó al piso, desvanecido. La escena se detuvo por una milésima de segundo.

"Vámonos de aquí" –dijo la voz clara y enérgica de Ana Violeta García Rodríguez–, quitándose el casco negro y dejando ver una amplia sonrisa, entre sus largos cabellos que cayeron sobre sus hombros. "El Gato ha vuelto", dijo.

Unas horas después, tres viejecitas (una de ellas debajo de un antiquísimo y enorme sombrero de alas anchas), acompañadas por el que parecía ser un joven matrimonio de profesores, aterrizaron en el aeropuerto de Nueva York y desaparecieron entre la multitud que llegaba de Puerto Rico.

Luego de habitar un par de meses en un apartamento en el Bronx que les facilitó Julián Berlinger, las cuatro mujeres regresaron a San Juan, y nunca jamás nadie intervino con ellas. La profesora Ana Violeta García Rodríguez publicó varios libros sobre cultura popular y política puertorriqueña, y se jubiló años después con el grado honorífico de Profesora Emeritus de la Universidad Nacional de la República de Puerto Rico.

Uno de esos libros, el más elogiado, fue sobre la figura de Miguel García, conocido como *El Gato*, que se presumió por muchos años clandestino en las montañas de Adjuntas, y de quien se dijo haber sido visto más de una vez, en actos patrióticos, hasta el fin del siglo.

Al día siguiente del tiroteo en la casa de la Caleta de las Monjas, la eficientísima prensa de Puerto Rico informó en su primera plana que el sargento Emeterio Vargas había sido muerto en el esfuerzo de arrestar a Miguel García, el terrorista conocido como *El Gato*, que estaba vivo, y que había matado al sargento en presencia del teniente coronel Alejandro Méndez.

El gobernador Rafael Romero anunció ese mismo día el nombramiento de un joven de apenas unos treinta años, ex-independentista, como superintendente de la Policía. Preguntado por qué no se había cumplido el esperado nombramiento de Elemaniel Bermúdez para esa posición, el gobernador anunció que el veteranísimo oficial policiaco había preferido acogerse al retiro, y que ya, inclusive, había abandonado la Isla. El teniente coronel Alejandro Méndez había anunciado simultáneamente su retiro de la Policía de Puerto Rico, pero, al ser dado de alta del hospital, fue arrestado por un equipo especial del Departamento de Justicia de los Estados Unidos y acusado de media docena de asesinatos junto a una camarilla de exiliados cubanos, sorpresivamente.

En una reunión con el enviado especial del *National Security Council*, se le informó al gobernador que los jefes del Buró Federal de Investigaciones y la Inteligencia Naval habían sido trasladados sin sucesores, y que, en vista del nacionalismo de la opinión pública en Puerto Rico, el Presidente radicaría legislación en su Congreso para disponer del territorio de Puerto Rico, convirtiéndolo en un país soberano. "Coincido totalmente con esa iniciativa" dijo, cabizbajo y avergonzado, una vez más, el último gobernador colonial elegido en Puerto Rico.

En Nueva York, luego de instalar a Ana Violeta y sus otras mujeres en un apartamento del Bronx que sería su guarida hasta su pronto regreso a la patria, Julián Berlinger volvió a su casa.

Esa madrugada, ante el ventanal del apartamento, viendo el hermoso lucero del alba, solo, presidir sobre el *Central Park*, comenzó a reconstruir la historia. Luego del Grito de Vieques había entendido que la resurrección de la nacionalidad puertorriqueña era la séptima vida del feroz gato puertorriqueño.

A su mente, como en pantalla de cine, volvía la imagen del fuego sobre el techo del almacén, aquella noche de verano de los años cuarenta. Esa imagen se borraba entonces, y aparecía, en corte súbito, la del grupo reunido alrededor de los restos calcinados encontrados entre la ceniza aún humeante en aquella otra madrugada, distinta. Y comenzó a escribir *La séptima vida*.

Los muertos del alma resucitan, y mandan –escribió–.

Juan Manuel García Passalacqua, decano de los analistas políticos puertorriqueños, es profesor en el Centro de Estudios Avanzados de Puerto Rico y el Caribe, donde ofrece cursos sobre la relación entre la historia y la literatura. García Passalacqua, graduado de la Universidad de Harvard y autor de numerosos libros, fue Ayudante Especial de los gobernadores Luis Muñoz Marín y Roberto Sánchez Vilella y Asesor del Consejo Nacional de Seguridad de los Estados Unidos durante la presidencia de Jimmy Carter.

.